Enciclopédia Cunningham de Magia com Cristais, Gemas e Metais

Scott Cunningham

Enciclopédia Cunningham de Magia com Cristais, Gemas e Metais

Tradução:
Jussara Vila Rubia Gonzales

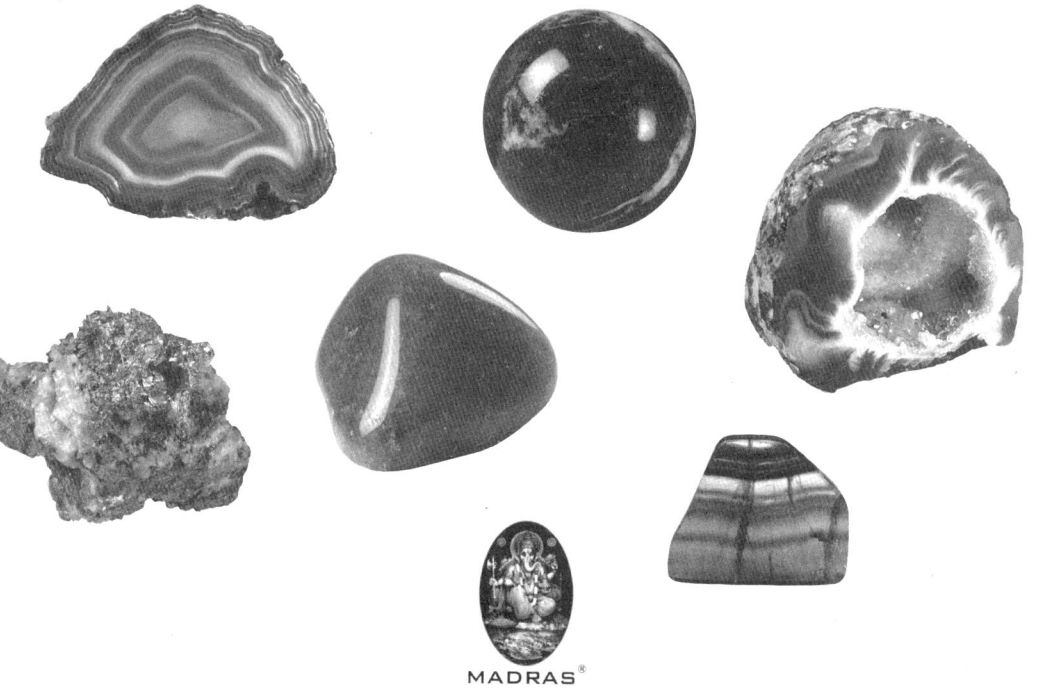

MADRAS

Publicado originalmente em inglês sob o título *Cunningham's Encyclopedia of Crystal, Gem & Metal Magic*, por Llewellyn Publications Woodbury, MN 55125 USA.
© 1998, Scott Cunningham.
© 2002, espólio de Scott Cunningham.
Direitos de edição e tradução para o Brasil.
Tradução autorizada do inglês.
© 2019, Madras Editora Ltda.

Editor:
Wagner Veneziani Costa

Produção e Capa:
Equipe Técnica Madras

Fotos internas:
Llewellyn Worldwide

Tradução:
Jussara Vila Rubia Gonzales

Revisão da tradução:
Ana Verbena

Tradução:
Silvia Massimini Felix
Letícia Pieroni

Dados Internacionais de Catalogação na Publicação (CIP)
(Câmara Brasileira do Livro, SP, Brasil)

Cunningham, Scott, 1956-1993.
Enciclopédia Cunningham de magia com cristais, gemas e metais/Scott Cunningham; tradução Jussara Vila Rubia Gonzales; revisão de tradução Ana Verbena. – São Paulo: Madras, 2019.

Título original: Cunningham's encyclopedia of crystal, gem & metal magic.
ISBN 978-85-370-0709-9

1. Cristais - Enciclopédias 2. Esoterismo 3. Gemas – Enciclopédias 4. Magia 5. Metais – Enciclopédias I. Título.

11-08281   CDD-133

Índices para catálogo sistemático:
1. Magia com cristais, gemas e metais:
Enciclopédias: Esoterismo 133

É proibida a reprodução total ou parcial desta obra, de qualquer forma ou por qualquer meio eletrônico, mecânico, inclusive por meio de processos xerográficos, incluindo ainda o uso da internet, sem a permissão expressa da Madras Editora, na pessoa de seu editor (Lei nº 9.610, de 19.2.98).

Todos os direitos desta edição, em língua portuguesa, reservados pela

MADRAS EDITORA LTDA.
Rua Paulo Gonçalves, 88 — Santana
CEP: 02403-020 — São Paulo/SP
Caixa Postal: 12183 — CEP: 02013-970
Tel.: (11) 2281-5555 — Fax: (11) 2959-3090
www.madras.com.br

As pedras são presentes da Terra. Elas são manifestações das forças universais da divindade, Deusa, Deus e destino, que criaram tudo o que existe, tudo o que existiu e tudo o que tem o potencial de vir a ser.

Que segredos se escondem dentro dos seixos jogados na praia, desgastados pelas águas? Que energias escondidas pulsam dentro da pedra no seu dedo, nas gemas ao redor do seu pescoço? Poderiam essas mesmas pedras em que você pisa atrair um amor para a sua vida ou ajudá-lo financeiramente?

Descubra as respostas você mesmo: os poderes dentro das pedras estão disponíveis para todos nós. Use os tesouros da Terra com sabedoria, e eles o abençoarão com tudo o que você verdadeiramente necessita.

*Este livro é dedicado a Robert Thompson,
que me apresentou às turmalinas, à geologia
e aos prazeres dos cristais e das pedras.*

Agradecimentos especiais a Megan Myrice da Milestones, por fornecer as pedras e os metais mágicos para o encarte colorido desta nova edição. Para informações sobre suas pedras, por favor, entre em contato com Megan em:

Milestones
Megan Myrice
1062 G Street, Suite A
Arcata, CA 95521
(707) 825-9194
HTTP://www.milestones4u.com
e-mail: mhm4@axe.humboldt.edu

Nota do Editor

A Madras Editora não participa, endossa ou tem qualquer autoridade ou responsabilidade no que diz respeito a transações particulares de negócio entre o autor e o público.

Quaisquer referências de internet contidas neste trabalho são as atuais, no momento de sua publicação, mas o editor não pode garantir que a localização específica será mantida.

Índice

Introdução 15
PARTE UM: Iniciações e Magia 19
Capítulo 1: Os Poderes das Pedras 19
Capítulo 2: Magia 23
    Três necessidades 24
        A necessidade 25
        A emoção 25
        O conhecimento 25
    Moralidade mágica 26
    Você ou eles? 26
    Visualização 27
    Carregando as pedras 27
    O altar de pedras 28
Capítulo 3: Energias das Pedras 29
Capítulo 4: O Arco-Íris de Poder 33
    Vermelho 34
    Rosa 35
    Laranja 35
    Amarelo 36
    Verde 36
    Azul 37
    Violeta 37
    Branco 38
    Preto 38
    Pedras multicoloridas 39
    Outras cores 39

**Capítulo 5: Corações, Diamantes e Estrelas:
A Magia da Forma** 41

Capítulo 6: Obtendo as Pedras 45
    Comprando pedras 46
    Trocando pedras 48
    Coletando pedras 48

Capítulo 7: Limpando as Pedras...53

Capítulo 8: As Histórias dentro das Pedras 57

Capítulo 9: Adivinhação com Pedras..61
    Vidência com pedras 63
    Adivinhação das 50 pedras..66
    Adivinhação com pedras da cor do arco-íris............................66

Capítulo 10: Um Tarô de Pedras 69
    Simbolismo e significados divinatórios do tarô de pedra..72
    Três pedras 75
    O pentagrama 75

Capítulo 11: A Magia das Joias..77
    Anéis 78
    Colares 79
    Brincos 79

Capítulo 12: Encantamentos com Pedras 81
    Proteção...82
        As cinco pedrinhas 82
        Para atravessar um rio 82
        Proteção à noite 82
    Adivinhação 82
        O poço 82
        Preto e branco...83
    Dinheiro e prosperidade 83
        Pedra do Ano-Novo 83
    Sorte 83
        Na cerca 83
    Amor 84

Pedra do amor 84
Poder 84
Marco de poder 84
Uma magia de atração com pedras 85
Um ritual de banimento com pedras 85
PARTE DOIS: Magia e Tradições 87
Capítulo 13: As Pedras 87
Ágata 88
Água-marinha 91
Alexandrita 92
Alume (pedra-ume) 92
Amazonita 92
Âmbar 93
Ametista 95
Amianto 98
Aventurina 98
Azurita 99
Berilo 99
Calcedônia 101
Calcita 101
Carvão 102
Carvão fossilizado 102
Celestita 104
Citrino 105
Coral 105
Cornalina 107
Crisocola 108
Crisoprásio 108
Cristal de quartzo 109
Diamante 114
Enxofre 116
Esfena 116
Esmeralda 117
Espinela 118
Estalagmites, estalactites 118
Estaurolita 119
Fluorita 120
Fósseis 121
Geodes 123

Granada 124
Hematita 125
Jade 126
Jaspe 128
Kunzita 129
Lágrima apache 130
Lápis-lazúli 130
Lava 132
Lepidolita 133
Madeira petrificada 135
Madrepérola 135
Malaquita 136
Mármore 137
Mica 138
Obsidiana 138
Olho de gato 139
Olho de tigre 140
Olivina 140
Ônix 142
Opala 144
Pederneira 145
Pedra da lua 146
Pedra de cachimbo 148
Pedra-de-sangue 149
Pedra do sol 150
Pedras furadas 151
Pedra de cruz 152
Peridoto 153
Pérola 154
Pedra-pomes 156
Rodocrosita 157
Rodonita 157
Rubi 158
Safira 159
Sal 161
Sárdio 163
Sardônica 164
Selenita 164
Serpentina 164
Sodalita 165

Índice

    Sugilita 165
    Topázio 166
    Turmalina 167
    Turquesa 168
    Zircônia 170
    Danburita 171
    Kianita 171
    Vanadinita 171
    Ulexita 171

PARTE TRÊS: A Magia dos Metais 173

Capítulo 14: Os Metais 173

    Metais planetários 174
    Metais elementais 175
        Aço 176
        Alumínio 176
        Antimônio 177
        Bronze 177
        Chumbo 178
        Cobre 179
        Electrum 181
        Estanho 181
        Ferro 182
        Ímã 185
        Mercúrio 189
        Meteorito 190
        Ouro 191
        Pedras Boji 194
        Pirita 195
        Prata 195

PARTE QUATRO: Informações Complementares 199

Os Quadros 199

    Energia 199
        Projetiva 199
        Receptiva 200
    Planetas regentes 201
        Sol 201
        Lua 202
        Mercúrio 202

Vênus 202
Marte 203
Júpiter 203
Saturno 204
Netuno 204
Plutão 204
Regentes elementais 205
   Terra 205
   Ar 205
   Fogo 206
   Água 206
   Akasha 207
Intenções mágicas 207
   Projeção astral 207
   Beleza 207
   Sucesso nos negócios 208
   Concentração 208
   Partos 208
   Coragem 208
   Magia defensiva 208
   Dietas 208
   Divinação 208
   Sonhos 209
   Eloquência 209
   Amizade 209
   Jogos de azar 209
   Jardinagem 209
   Ligação com a terra 209
   Felicidade 209
   Cura/saúde 210
   Longevidade 210
   Amor 210
   Sorte 211
   Poderes mágicos 211
   Meditação 211
   Poderes mentais 211
   Dinheiro, riqueza, prosperidade, bens 212
   Evitar pesadelos 212
   Paz 212
   Energia física 213

Índice

    Força física 213
    Proteção 213
    Psiquismo 214
    Purificação 214
    Reconciliação 214
    Energia sexual 214
    Sono 214
    Espiritualidade 215
    Sabedoria 215
    Sucesso 215
    Viagem 215
  Substituições mágicas 215
  Pedras dos signos 217
    Áries 217
    Touro 217
    Gêmeos 217
    Câncer 217
    Leão 217
    Virgem 217
    Libra 218
    Escorpião 218
    Sagitário 218
    Capricórnio 218
    Aquário 218
    Peixes 218

Fontes 219
Glossário 221
Bibliografia Comentada 227
  Periódicos consultados 236
Índice Remissivo 237

Introdução

Cristais, pedras, metais. Ametista para a paz. Quartzo para o poder. Prata para o psiquismo.

Desde os tempos pré-históricos, antes de nossa era tecnológica, encontramos beleza, poder e mistério dentro das pedras. Assim como as ervas possuem energias, o mesmo ocorre com as pedras e os metais. Com seus poderes, podemos mudar a nós mesmos e nossas vidas.

A magia com pedras é tão antiga quanto o tempo. Ela teve início quando os primeiros seres humanos sentiram alguma força ou poder dentro das pedras que os cercavam. Provavelmente, as pedras foram usadas primeiro como amuletos – objetos usados para afastar a negatividade ou o "mal". Mais tarde, elas foram reverenciadas como divindades, receberam sacrifícios e foram enterradas para abençoar e dar fertilidade à terra. Seu uso está intimamente ligado à religião, a rituais e à magia.

Na atualidade, a magia com pedras foi esquecida por milhões de pessoas. A Revolução Industrial e as duas guerras devastadoras destruíram a vida insular das pequenas cidades, em que a antiga magia passava de geração a geração.

Hoje, adquirimos uma nova consciência do valor mágico das pedras e dos metais. Na verdade, esse súbito interesse não tem precedentes na história e, assim como o crescente uso das ervas na magia, é outra manifestação da descoberta feita pelas pessoas segundo a qual o microchip de suas vidas é insatisfatório. Tem alguma coisa – mágica – faltando.

Em minha jornada de 16 anos pelo mundo do xamanismo e da magia, fiquei convencido de que, de um modo ou de outro, todos os aspectos da existência humana foram governados pela magia. Com o passar dos séculos, perdemos a maior parte dessa sabedoria; entretanto, ainda restam dela fragmentos tentadores.

Pessoas que não se interessam por magia podem acreditar que dá sorte usar pedras do signo, ou que, segundo dizem, pérolas fazem as noivas chorar, ou que o diamante Hope é amaldiçoado. Elas podem não saber por que acreditam nessas coisas, mas o fato é que acreditam.

Se olharmos para o passado, para uma era em que as propriedades místicas das pedras e dos metais eram inquestionáveis, encontraremos as repostas.

As pedras, assim como as cores, plantas e outros objetos naturais, são ferramentas que podemos usar para provocar as mudanças necessárias. A transformação é a essência da magia e as pedras nos ajudam a atingi-la, emprestando-nos poderes e oferecendo pontos focais para nossas próprias energias.

Depois de séculos de estruturas religiosas repressivas e de materialismo paralisante, muitos de nós estamos despertando para o fato de que nos tornamos distantes da terra. Executivos jogam gemas brilhantemente polidas no veludo azul e estudamos padrões que elas formam para conseguir vislumbrar o futuro. Secretárias colocam pedra da lua e azurita entre as sobrancelhas para aumentar sua consciência psíquica. Estudantes usam cristal de quartzo para melhorar seus hábitos de estudo. As maneiras antigas estão mais uma vez acessíveis a todos os que desejarem usá-las.

Pedras e metais são chaves que podemos utilizar para liberar nosso potencial como seres humanos. Eles expandem nossa consciência, elevam nossa vida, acalmam nosso estresse e enchem nossos sonhos de energias curativas.

Os céticos dirão que isso se deve às nossas mentes. Os magos dizem que sim, a mente faz parte. Mas também fazem parte as pedras, o uso ritual desses tesouros e nossas conexões com a terra.

A magia com pedras funciona. Ela é eficiente. E isso é tudo o que as pessoas precisam saber para experimentá-la.

Ao usar um pouco de magia, não voltamos nossas costas para a tecnologia. Não estou desistindo da eletricidade nem de outros benefícios de nosso tempo.

Não. Usamos essa antiga magia para melhorar e compreender mais profundamente nossas vidas agitadas e para termos maior controle sobre elas. Ficamos sintonizados com os poderes que criaram as pedras, conosco, com a terra e com o Universo, acrescentando, assim, o ingrediente que faltava em nossas vidas, quase sempre estéreis.

Introdução

Quando uma pedra caída no leito seco de um rio nos chama para apanhá-la, quando um cristal brilhante parece puxar nossa mão, quando uma joia facetada incrustada em um anel captura nossa imaginação, sentimos o antigo poder das pedras.

As pedras – a magia – estão esperando. O resto é com você.

PARTE UM

Iniciações e Magia

Capítulo 1

Os Poderes das Pedras

Luz do luar. Uma mulher está de pé em seu jardim. O vento levanta sua echarpe, enquanto ela é banhada por raios de luz prateada. Na mão erguida há um cristal de seis faces. Ela olha para a pedra brilhante, sentindo suas vibrações erráticas e perturbadoras.

A brisa diminui e silencia uma fileira de pinheiros antigos que cercam a figura. A Lua parece mais brilhante e a mulher sente a luz calma que vem do céu.

A pedra tranquiliza. Suas vibrações peculiares diminuem e depois aumentam, unindo-se para formar uma pulsação única e regular de energia.

Quando a mulher a segura mais alto, o poder da pedra desce por seus braços, fluindo através de seu corpo com uma série de agradáveis choques elétricos. Ela se sente mais vibrante e poderosa.

Depois de um tempo incomensurável a figura abaixa a pedra e, impulsivamente, toca sua testa com ela.

Seu trabalho está terminado. O cristal está purificado e pronto para a magia.

Algumas pedras podem jazer nas profundezas da terra ou ficarem expostas ao Sol e às estrelas. Elas podem ser opacas ou prismáticas, densas ou porosas. Azul, verde, vermelho e cores que nenhum arco-íris ousa exibir são comuns entre elas: ágatas abundantes e raras esmeraldas; turmalinas tricolores transparentes e mármore opaco; sugilita púrpura real e cristal de quartzo límpido.

As pedras são presentes da Terra. Elas são manifestações das forças universais da divindade, Deusa, Deus e destino que criaram tudo o que existe, tudo o que existiu e tudo o que tem o potencial de vir a ser.

A Terra é apenas pequena parte de uma vasta rede de energia. Embora criado por essa energia, nosso planeta agora contém suas próprias vibrações. Alguns desses poderes e suas manifestações são matizados e modelados para nos beneficiar.

As pedras são baterias que contêm e concentram as energias da Terra. Acredita-se que muitas também sejam afetadas por planetas e de corpos luminosos de nosso sistema solar, ou que pelo menos sejam símbolos destes. Outras foram, há tempos, associadas às estrelas distantes.

Magia e pedras estão relacionadas entre si desde a mais remota antiguidade. As rochas que adquiriram formatos de animais, por ação do vento e da chuva, foram usadas como símbolos e como focos ritualísticos por tempos imemoriais. Por 10 mil anos, gemas resplandecentes foram carregadas ou usadas para proteção contra o desconhecido. Pedras raras, com formas estranhas, ou que apresentam propriedades elétricas ou magnéticas, há muito são usadas como instrumentos de magia.

Em eras passadas, as pedras eram esculpidas para representar imagens que pareciam ter natureza religiosa ou mágica. Também forneciam materiais para construção. As ferramentas feitas com elas trituravam grãos, davam forma às vestimentas, extraíam espinhos e realizavam cirurgias. Armas de pedra guardavam uma vida que se fora. Rochas eram aquecidas para ferver água, milhões de anos antes que fossem inventadas as vasilhas à prova de fogo. As pedras eram, a um só tempo, belas e utilitárias, sagradas e profanas.

Ao longo dos tempos, os humanos confiaram nas pedras para garantir a concepção, para facilitar os partos, para dar saúde e segurança pessoal e para proteger os mortos. Mais recentemente, as pedras foram usadas em magia para estabelecer mudanças internas ou externas. Pedras da lua são usadas para promover a consciência psíquica. Ametista, para acalmar temperamentos. O peridoto é usado para atrair saúde. Quartzo rosa, para atrair amor.

Hoje, 5 mil anos de magia com pedras estão à nossa disposição. Muitas pessoas estão descobrindo os poderes dentro das pedras. Trabalhando com as rochas, esses magos (naturais) estão transformando suas vidas.

Então o que é a magia com pedras, afinal? Como algumas poucas rochas arrancadas da terra podem ter algum efeito sobre alguma coisa?

As pedras, assim como as ervas, as cores, os metais, os números e os sons, não são inertes. Elas podem ficar escondidas debaixo da terra por milhões de anos, ou repousar em uma prateleira na qual as colocamos a semana passada, mas elas são ferramentas ativas e poderosas, que possuem energias capazes de afetar, e que afetam nosso mundo.

As pedras são presentes da terra que podemos usar para melhorar nossas vidas, nossos relacionamentos e a nós mesmos. É fácil e barato encontrar muitas delas, ao passo que outras podem ser retiradas do próprio chão, gratuitamente.

A magia com pedras apoia-se em ideias simples e tem resultados diretos. O uso de uma pedra na magia traz sua influência à baila. *Direcionar essas energias é que é a magia.*

Se você decidiu entrar em sintonia e trabalhar com pedras, seja bem-vindo ao mundo da magia cristalina. Pode ser que você nunca mais queira sair dele.

Que segredos se escondem dentro dos seixos jogados na praia, desgastados pelas águas? Que energias escondidas pulsam dentro da pedra em seu dedo, nas gemas ao redor do seu pescoço? Poderiam essas mesmas pedras em que você pisa atrair um amor para sua vida, ou ajudá-lo financeiramente?

Descubra você mesmo as respostas, pois os poderes dentro das pedras estão disponíveis para todos nós. Use os tesouros da terra com sabedoria e eles o abençoarão com tudo o que você verdadeiramente necessita.

Capítulo 2

Magia

Magia é transformação.
Transformação é magia.
Toda magia é mudança; toda mudança é magia.

Pedras, cristais e metais, assim como as cores, os cheiros, as formas, o movimento, a terra, o ar, a água, o fogo, os insetos, os animais, nós mesmos, nosso planeta e nosso Universo contêm energia. E é essa energia que nos permite praticar magia.

Na filosofia da magia, a curandeira, o xamã, o Kahuna e os altos sacerdotes, toda essa energia descende da força original, primordial. Ela tem sido chamada de "deusa", "deus", "divindade suprema", "destino" e muitos outros nomes. Inúmeras crenças criaram complexos calendários de rituais e histórias relativas a essa energia. É ela que é reverenciada dentro de todas as religiões.

Porém, atualmente, essa fonte de energia está além da religião, além de teorias e de explicações. Ela simplesmente existe – em todos os lugares, dentro de nós mesmos e de nosso planeta.

Praticantes de magia são aqueles que aprenderam a respeito dessa energia. Eles despertam, liberam e dirigem a energia.

Ao contrário do que você pode ter ouvido, a magia é um processo natural. Não é coisa de demônios e de criaturas nojentas, nem foram os anjos caídos que nos deram a habilidade de praticar magia. Essas são ideias de uma filosofia religiosa que abomina o individualismo. A magia é, em certo sentido, o verdadeiro individualismo, pois nos permite, como indivíduos, assumir o controle de nossas vidas e trabalhar para melhorá-las.

A magia é "sobrenatural"?

Não. O sobrenatural não existe.

Pense nisso por um momento. *Sobre*, no sentido de extra, fora de, diferente de, e *natural*. Fora da natureza? Diferente da natureza? De modo algum! A magia é tão natural quanto a pedra, tão real quanto nossa respiração, tão potente quanto o sol.

A magia com pedras, o uso das energias dentro das pedras para realizar as mudanças necessárias, é um exemplo perfeito da naturalidade da magia, pois o que poderia ser mais orgânico do que as rochas?

A maioria dos livros escritos sobre cristais e rochas, hoje em dia, está preocupada principalmente com a cura e com o desenvolvimento espiritual. Poucos desses trabalhos lidam com qualquer outro aspecto da magia.

É nisso que este livro difere. A magia está viva em cada página. Desenvolvendo a consciência psíquica, atraindo amor e amizade, aliviando disfunções sexuais, atraindo dinheiro e saúde, aguçando os poderes mentais, induzindo à paz e à felicidade – essas são as maravilhas que podem ser criadas por meio dos poderes das pedras.

A magia não é trabalhada controlando ou dominando a natureza; novamente, essa é uma visão não mágica, outro resquício da ideia de que "a magia é sobrenatural". Em magia, trabalhamos em harmonia com essas forças. A magia praticada de qualquer outra forma é limitante e, com frequência, apenas um estímulo ao ego do mágico.

Este capítulo discute algumas bases da magia a fim de facilitar o uso da parte dois deste livro. Quando falarmos em "visualização", ou em "dirigir o poder", ou "criar um altar de pedra", você conhecerá os fundamentos.

Mais uma vez, como enfatizo em todos os meus livros, eu (naturalmente) escrevo sobre o que funcionou para mim e com o que me sinto confortável. Se meus ritos, símbolos e processos mentais não disserem nada a você, investigue e encontre outros que o façam.

Lembre-se: a natureza é o mestre. A natureza é um fenômeno de magia; é uma ilustração no livro universal de encantamentos. Se essas palavras escritas significam pouco para você, ouça as pedras, o vento, o fogo e a água. Ouça e aprenda.

Três necessidades

Assim como enfatizei em *Earth Power*, três coisas precisam existir para que a magia seja bem-sucedida. São elas:

A necessidade

Precisa haver uma necessidade. Geralmente, uma que não possa ser satisfeita por outros meios. Atrair amor, proteger sua casa, conseguir moradia ou outros objetos materiais são ótimos exemplos.

Uma necessidade é um espaço vazio em sua vida, ou então, uma condição crítica (como uma doença ou perigo) que deve ser trabalhada imediatamente.

A magia preenche aquele vácuo ou corrige a condição, satisfazendo, assim, a necessidade.

A emoção

Junto com a necessidade, deve haver emoção. Emoção é poder. "Ficar vermelho" é um exemplo disso – o rosto fica quente, as batidas do coração aceleram. Essas são manifestações de poder.

Se você não estiver emocionalmente envolvido com sua necessidade, não será capaz de retirar poder de nenhuma fonte e direcioná-lo para a necessidade. Em outras palavras, sua magia não vai funcionar. Se você precisa passar em um exame, mas na verdade não quer, todas as magias feitas para aumentar suas chances vão falhar.

A emoção libera o poder para que a necessidade se manifeste de fato.

O conhecimento

Este é o caminho da magia: técnicas que usamos para criar energia dentro de nós mesmos ou de objetos naturais, tais como as pedras, e enviá-la na direção da necessidade mágica.

O "conhecimento" inclui visualização, fundamentos dos rituais, concentração e realidade de poder.

Este capítulo contém alguns fundamentos do conhecimento.

Se tivermos a necessidade e a emoção, mas não o conhecimento sobre como usar essas coisas, seríamos como um neandertal contemplando um abridor de latas ou um computador. Não saberíamos como usar tais ferramentas.

Assim que a necessidade, a emoção e o conhecimento estiverem presentes, podemos começar a praticar magia.

Moralidade mágica

Nós praticamos magia para melhorar nossas vidas, as vidas de nossos amigos e daqueles que amamos. A magia é feita por amor, não por ódio. É harmonia com a natureza, não dominação.

Muitas pessoas ficam interessadas em magia porque acreditam ser uma bela maneira de se livrarem de seus inimigos. Elas veem a magia como arma de raiva, em vez de ferramenta do amor.

O poder é neutro. A eletricidade, uma manifestação de poder, pode ser usada durante as cirurgias a laser para salvar vidas, ou para energizar uma cadeira elétrica que acabará com elas.

Com a energia ocorre o mesmo. Nossas intenções e necessidades determinam seu efeito no mundo exterior.

A magia não é (pelo menos não deveria ser) um instrumento de egoísmo, de dominação, de dor, de medo, de manipulação, de gratificação do ego ou de controle. Pelo contrário, ela é confirmadora da vida, plena de amor, de alegria, de contentamento, de prazer e de crescimento.

Como eu disse, se ficasse com muita raiva de alguém (o que nunca aconteceu), eu provavelmente preferiria dar-lhe um soco a mandar-lhe um feitiço.

Algumas pessoas não concordam comigo nesse ponto e chegaram a dizer isso na minha cara, em minhas aulas e oficinas. Eu apenas balanço a cabeça, pois não adianta argumentar com pessoas assim. Logo elas desparecem e não se ouve mais falar delas.

Se você colocar um dedo em um soquete de luz energizado, vai levar um choque. Se praticar magia manipulativa, será pior.

A escolha é sua, simples assim.

Você ou eles?

É melhor trabalhar com magia para provocar mudanças dentro de si mesmo, ou em sua vida, antes de ajudar os outros. Desse modo, você aprenderá rapidamente como ela funciona e saberá como realizá-la melhor.

Não se trata de egoísmo. Sua vida é seu laboratório de magia. Uma vez que as experiências tenham funcionado, você poderá aplicá-las nos outros. Quem confiaria em um mago com uma vida caótica, cheio de dívidas, sempre doente ou emocionalmente instável?

Visualização

Permita-se praticar a visualização. Feche os olhos e veja o rosto de seu melhor amigo ou sua peça de roupa favorita.
Compreende? Visualização é simplesmente "ver" sem os olhos.
Visualização mágica (ou criativa) é formar figuras similares de sua necessidade mágica. Em outras palavras, nós "vemos" o que ainda vai ser. Em certo sentido, essa visualização é a chave que move a energia na direção do objetivo. Formar e aperfeiçoar as visualizações mágicas torna-se fácil com a prática.
Se você deseja atrair amor para sua vida, segure um quartzo rosa e visualize-se sendo envolvido naquele relacionamento. Mesmo que não consiga ver o rosto da pessoa (lembre-se: magia não é manipulação), veja-se feliz na companhia daquela pessoa. Deixe a *emoção* de sua necessidade, assim como a própria necessidade, envolvê-lo em seu abraço terno; depois "veja" a energia fluindo de dentro de você para a pedra e saindo dela para fazer seu trabalho.
Isso é visualização mágica.

Carregando as pedras

Antes de usá-las em magia, as pedras devem ser "carregadas" ou "programadas" com energia. Isso é feito simplesmente segurando a pedra em sua mão projetiva (geralmente a direita para os destros e a esquerda para os canhotos), visualizando sua necessidade mágica e despejando energia de seu corpo para a pedra.
Essa energia é o poder pessoal. Ela reside dentro de cada um de nós. Podemos mover essa energia de dentro de nossos corpos para pedras, velas, metais e outros objetos, para nos ajudar a atingir nossos objetivos mágicos. A movimentação dessa e de outras formas de energia natural está na essência da magia.
Veja a força fluindo de seu corpo, por intermédio de sua mão projetiva para a pedra. Carregue-a com a energia de sua necessidade mágica – amor, dinheiro, poder, saúde.
Quando perceber que a pedra está vibrando com sua força pessoal, a carga estará completa. Esse processo simples, realizado antes de cada ritual, ampliará enormemente os efeitos de sua magia com pedras.

O altar de pedras

Se desejar, realize sua magia – pelo menos aquele tipo que é feito dentro de casa – em um "altar de pedras". Claro que esse não será um lugar para adorar pedras, mas uma área reservada para a prática de magia.

A forma ideal de preparar um altar é colocar uma grande placa de mármore ou de alguma outra pedra sobre um tronco de árvore de topo plano, ou sobre uma cômoda, ou gaveteiro, ou mesinha de centro. Essa é a base do altar propriamente dito, em que você irá trabalhar com as ferramentas da magia com pedras. Se não for possível, qualquer tipo de mesa servirá.

Os objetos mágicos são frequentemente colocados no altar de pedra. Eles podem ser "talismãs de boa sorte" ou pedras e metais de poder, tais como grandes cristais de quartzo, pedras da cruz, estaurolitas, magnetitas, fósseis, lava e opalas.

Esse altar é o local ideal para limpar e purificar as pedras, para harmonizar-se com elas e para fazer magia. Muitos dos encantos mencionados neste livro envolvem o uso de velas assim como o de pedras, e é no altar de pedras que elas são colocadas e as velas acesas.

Incenso, flores e quaisquer outros objetos mágicos podem também ser colocados no altar de pedras, contanto que estejam em sintonia com sua necessidade mágica, ou se você os considerar "objetos de poder" – aquele tipo de coisa que aumenta ou melhora sua habilidade de elevar e enviar energia.

O altar de pedra é um local de magia.

Capítulo 3

Energias das Pedras

Há uma surpreendente variedade de pedras que podem ser usadas na magia. Elas apresentam infinitas formas, aspectos cristalinos e cores, e seus usos na magia são incrivelmente variados.

Conforme mencionei no capítulo 1, as pedras são reservatórios de energias. Em magia, usamos essas energias para fazer com que ocorram as mudanças necessárias.

Há dois tipos básicos de energia dentro das pedras. Esses dois tipos contêm todas as diversas vibrações encontradas nas pedras: aquelas que atraem amor, as que repelem negatividade e assim por diante. São as energias *projetivas* e as *receptivas*.

Elas são manifestações das formas mais puras de energia universal criadora e têm muitos símbolos. Em religião, são conhecidas como deuses ou deusas. Em astronomia, como o Sol e a Lua. Entre os seres humanos, como masculino e feminino. Aqui estão mais algumas associações:

Projetivas	**Receptivas**
Elétricas	Magnéticas
Quentes	Frias
Dia	Noite
Físicas	Espirituais
Brilhantes	Escuras
Verão	Inverno
Faca	Taça
Ativas	Inertes

Essas forças estão em todos os lugares dentro do Universo. Estão presentes em nosso planeta e em nós mesmos. No pensamento mágico, elas repousam dentro de nossos corpos. Simbolicamente falando, é por isso que podemos gerar filhos de ambos os sexos e praticar todas as formas de magia.

Nós contemos tanto as energias projetivas quanto as receptivas. Tais forças não têm nada a ver com nosso sexo biológico. Ou pelo menos não deveriam ter. Mas, já que desde o nascimento somos treinados a acentuar aquela energia que se conforma com nosso sexo físico, os desequilíbrios são bastante comuns. Os meninos são vestidos de azul, aprendem a jogar beisebol, usam calças e assim por diante. Hoje em dia, apesar de isso haver mudado um pouco, ainda é a regra.

O excesso de energia projetiva faz com que o mago se torne irritável, agressivo, nervoso e analítico demais. No campo da saúde, esse desequilíbrio pode provocar úlceras, dores de cabeça, pressão arterial elevada e outras doenças.

O excesso de energia receptiva gera melancolia, letargia, depressão, desinteresse e um tipo de fechamento para o mundo físico. Outros possíveis problemas são pesadelos, apego amoroso, desemprego, baixa resposta imunológica e hipocondria.

Se e quando você notar desequilíbrio na composição de sua energia, carregue ou use pedras do tipo oposto para trazer aquela força à superfície (veja uma lista dessas pedras na parte quatro).

O que nos remete novamente às pedras. As pedras projetivas são aquelas brilhantes, extrovertidas, agressivas e elétricas. Elas possuem energias fortes e poderosas que repelem o mal, vencem a inércia e criam movimento.

As pedras projetivas ajudam a destruir doenças, fortalecer a mente consciente, enchem seu usuário com coragem e determinação. São usadas para promover a energia física, atrair sorte e trazer sucesso. Em magia, podem ser usadas para acrescentar mais força aos rituais.

Essas pedras e minerais são usados de duas formas básicas: para afastar energias negativas ou indesejadas, ou para colocar energias em um objeto ou pessoa. Uma mulher usando uma cornalina para ter coragem, por exemplo, atrai as energias da pedra para si mesma. A mesma mulher, desejando afastar a negatividade de seu corpo, qualifica a pedra para tal finalidade por meio da visualização. Assim, em vez de enviar energia para ela, a pedra afasta tal energia. O segredo, evidentemente, está na visualização.

As pedras projetivas entram em contato com a mente consciente. Elas são geralmente pesadas ou densas, ocasionalmente opacas, e podem ser vermelhas, laranja, amarelas, douradas ou claras. Podem também brilhar ou resplandecer como o sol. Exemplos de pedras e minerais projetivos incluem rubis, diamantes, lava, topázio e rodocrosita.

As pedras projetivas são associadas ao Sol, a Mercúrio, Marte, Urano e aos elementos fogo e ar (para mais informações sobre os elementos, leia a parte quatro). Elas também são associadas às estrelas, já que as estrelas são simplesmente sóis mais distantes.

As pedras receptivas complementam naturalmente as pedras projetivas. São tranquilizadoras, calmantes, introspectivas e magnéticas, favorecendo a meditação, a espiritualidade, a sabedoria e o misticismo. Elas criam paz.

Essas pedras promovem a comunicação entre as mentes consciente e subconsciente, favorecendo o despertar da consciência psíquica. Elas irradiam energias que atraem amor, dinheiro, cura e amizade. As pedras receptivas são geralmente usadas para fins de afirmação, para estabilizar e reafirmar nossas raízes na Terra.

Assim como as pedras projetivas, as pedras receptivas também são usadas de duas formas básicas. Lápis-lazúli pode ser usada para atrair amor ou, com diferente qualificação, absorver a depressão e assim criar alegria.

As pedras receptivas são encontradas em um amplo espectro de cores – verde, azul, turquesa, púrpura, cinza, prata, rosa, preto (ausência de cor) e branco (todas as cores combinadas). Elas também podem ser opacas ou translúcidas, e naturalmente perfuradas.

Exemplos de pedras receptivas incluem pedras da lua, águas-marinhas, esmeraldas, pedras furadas, quartzo rosa, turmalina rosa, kunzita, lápis-lazúli e sugilita. São relacionadas com a Lua, Vênus, Saturno, Netuno, Júpiter e com os elementos terra e água.

Nem todas as pedras se encaixam facilmente em uma dessas categorias, que apesar disso são um bom sistema para nos ajudar a relacionar as pedras com seus poderes básicos. Algumas pedras contêm uma mistura dessas energias, como o lápis-lazúli. Outras podem ter usos que contradizem essa classificação simples, por isso, use seu próprio bom senso para determinar os poderes básicos delas. Lembre-se de que esse é um sistema para ser usado em nosso benefício. Não há como estar correto 100% das vezes.

Apenas ao olhar para uma pedra desconhecida, percebendo seu peso e cor, você será capaz de saber algo sobre suas propriedades mágicas, mesmo antes de tentar senti-las.

Da próxima vez que vir uma pedra – em qualquer lugar –, tente determinar se ela é receptiva ou projetiva. Se isso se tornar um processo automático, rapidamente você aprenderá sobre as pedras a partir das próprias e, ao fazer isso, descobrirá que a magia com pedras fica cada vez mais fácil de praticar.

Capítulo 4

O Arco-Íris de Poder

Como mencionei no capítulo anterior, a cor das pedras é uma pista vital para descobrir as propriedades mágicas em cada uma. As cores são energias que afetam diretamente nossas mentes. Um exemplo: muitas prisões, agora, deixam os prisioneiros em áreas pintadas de um tom rosa claro. Quando criminosos agressivos são colocados nesses ambientes, tornam-se mais calmos. Por quê? Cor-de-rosa é uma cor amorosa e calmante. A menos que estejam sob efeito de drogas que alteram o humor, os presidiários simplesmente não conseguem continuar violentos em tal ambiente.

Do mesmo modo, muitos hospitais vêm pintando de azul as salas de cirurgia e de recuperação. Essa cor há muito tempo é usada em magia para promover a cura; agora, a medicina ortodoxa finalmente a adotou e passou a usá-la também.

Compreendemos melhor os antigos sistemas de magia quando nos tornamos mais conscientes dos efeitos das cores. Se paredes cor-de-rosa acalmam pessoas nervosas, por que as pedras dessa cor não poderiam ser úteis para atrair o amor?

Mesmo nesse nível superficial, as cores que as pedras exibem podem ter efeitos espetaculares. Quando passamos a usar a cor como chave para outros efeitos menos físicos das pedras, é nesse momento que o reino da magia é verdadeiramente conquistado.

Assim como no capítulo 3, essas informações podem orientá-lo a descobrir seus próprios usos para as pedras, assim como para compreender as informações apresentadas na parte dois deste livro.

Talvez seja uma boa oportunidade para acrescentar algumas observações sobre a cura mágica. Ninguém é capaz de curar o corpo de outra pessoa. Certamente existem técnicas que facilitam isso, mas a cura deve vir de dentro. A maioria dos curadores diz que tudo o que podem fazer é acelerar o processo de cura, removendo, talvez, os bloqueios do fluxo de energia através do corpo da pessoa doente.

Há séculos as pedras têm sido usadas em curas mágicas e algumas devem ter sido eficientes. Ao apresentar essas informações tradicionais na parte dois do livro, não estou dizendo para você usar uma pedra-de-sangue quando cortar seu dedo, ou uma esmeralda para problemas oculares. Estou apenas sugerindo que tais medidas podem ser usadas *em conjunto com o tratamento médico tradicional*. Então, use um curativo e um creme antibacteriano (ou uma folha de bananeira) para cobrir a ferida e *depois* use uma pedra-de-sangue para ajudar a acelerar sua recuperação.

A magia não é uma afronta à tecnologia. Elas podem e devem ser usadas em conjunto, sempre que possível. Com isso em mente, a leitura das informações de "cura" neste livro deve esclarecer quaisquer dúvidas em relação a esse aspecto da magia com pedras.

Não há dúvida de que as pedras são poderosas, mas precisamos conhecê-las, estar em harmonia com elas e pô-las em contato com nosso próprio corpo para que essa magia seja eficiente.

Seja como for, se as cores têm poderes, as pedras coloridas são duplamente poderosas. Aqui estão algumas dessas energias.

Vermelho

Vermelho é a cor do sangue, do nascimento e da morte. Em muitas culturas ela é "sagrada" ou dedicada a divindades. Pedras vermelhas são projetivas, ativas; estão relacionadas ao planeta Marte e ao elemento fogo, duas energias agressivas.

Tais pedras são protetoras e trabalham para fortalecer o corpo e a força de vontade. São usadas para promover coragem, dar energia corporal e proporcionar força adicional aos rituais com sua presença no altar.

Nos tempos antigos, as pedras vermelhas eram usadas como antídoto para venenos, para manter "puros" os pensamentos e para acabar com a raiva e com todas as emoções violentas por meio da descoberta da causa de tais emoções. São usadas também como proteção contra incêndios e raios.

Na cura, as pedras vermelhas estão intimamente ligadas ao sangue. São usadas frequentemente para diminuir a anemia, estancar sangramentos e curar feridas. Elas também parecem funcionar em erupções cutâneas e inflamações. Talvez por causa de sua associação com o sangue, costuma-se carregá-las junto ao corpo para evitar abortos.

As pedras vermelhas podem ser energizadas e usadas para superar disfunções sexuais; para isso, geralmente são colocadas perto, ou sobre, os genitais enquanto se faz uma visualização.

Rosa

As pedras cor-de-rosa são receptivas, plenas de vibrações amorosas. Elas são calmantes, tranquilizadoras e são usadas para acabar com o estresse e relaxar tanto o corpo físico quanto a mente.

Alguns dizem que as pedras cor-de-rosa são regidas por Vênus (embora o verde seja a cor venusiana por excelência), e por isso são usadas para atrair amor ou para fortalecer um amor já existente. Elas podem trabalhar para superar dificuldades em longos relacionamentos.

Podem também ser usadas para promover o amor próprio. Não se trata de narcisismo, mas da percepção e aceitação dos próprios defeitos e de nos livrarmos deles para depois continuarmos a vida. Como eu disse (e muitos antes de mim já disseram), não podemos esperar que os outros nos amem se não amamos a nós mesmos. As pedras cor-de-rosa têm a energia ideal para conseguir isso.

Essas pedras também promovem paz, felicidade, alegria e risos. Estimulam as emoções mais leves, ajudam a atrair amigos e encorajam a abertura em relação aos outros.

São ideais para utilizar em rituais de grupo.

Laranja

As pedras cor de laranja têm um pouco do fogo do vermelho, mas seus efeitos são mais suaves. Projetivas, têm sido vistas como um símbolo do Sol. São ideais para uso em rituais de proteção e naqueles destinados a promover a iluminação.

Essas pedras estão relacionadas ao poder pessoal. O uso de uma delas irá aumentar sua habilidade de mergulhar nos ritos mágicos e de dirigir essa energia durante esses ritos.

São pedras excelentes para ser usadas por pessoas com baixa autoestima, uma vez que ampliam a percepção que você tem do seu próprio valor.

Acredita-se que as pedras cor de laranja atraiam sorte e, como símbolos de sucesso, são usadas durante magias para assegurar um resultado positivo.

Amarelo

As pedras e os minerais amarelos são projetivos. Regidos por Mercúrio, são usados em rituais que envolvem comunicação. Se estiver tendo problemas para se expressar de maneira clara, experimente usar uma pedra amarela. Ao fazerem uso das pedras amarelas, os escritores podem ser auxiliados em seu trabalho, enquanto pessoas que falam em público adquirem maior eloquência.

Regidas também pelo Sol, as pedras amarelas são protetoras; seu outro elemento regente, o ar, nos diz que elas podem ser usadas para fortalecer a mente consciente. São usadas durante a magia para elevar a capacidade de visualização.

Os encantamentos que envolvem viagens podem ser realizados com pedras amarelas, por exemplo, segurando-se uma na mão projetiva enquanto se visualiza uma viagem para o local desejado.

No campo da saúde, as pedras amarelas são usadas para promover a digestão, regular o sistema nervoso e para problemas de pele.

São pedras de movimento, de troca, de energia, e de consciência mental.

Verde

Cor da natureza, da fertilidade, da vida, o verde sempre esteve ligado ao vermelho na religião e na magia.

As pedras dessa cor são receptivas. São usadas em rituais de cura, colocadas em volta de uma vela azul ou verde acesa e visualizando-se a pessoa doente como alguém vibrante, totalmente saudável.

Elas também podem ser carregadas ou usadas para proteger a saúde. Especificamente, acredita-se que as pedras verdes fortaleçam os olhos, controlem os rins, aliviem dores de estômago e evitem enxaquecas.

Regidas por Vênus, as pedras verdes são usadas em jardinagem para favorecer um crescimento luxuriante, ou são colocadas na terra para essa finalidade. Se você tem plantas domésticas, experimente colocar algumas pedras verdes energizadas na terra. Por causa de tal uso, acredita-se que elas aumentem a fertilidade e que, portanto, favoreçam a concepção.

A associação delas com o elemento terra leva também a seu uso em encantamentos que envolvam dinheiro, riquezas, prosperidade e sorte.

Trata-se de pedras de fundamento e de equilíbrio que podem ser usadas para harmonização com a terra.

Azul

Azul é a cor do oceano, do sono e do crepúsculo. Regidas pelo elemento água e pelo planeta Netuno, essas pedras são receptivas e promovem a paz. Segurar uma pedra azul na mão ou olhar para ela sob luz fraca acalma as emoções. Se você tiver dificuldade para dormir, experimente colocar pedras azuis em sua cama. São excelentes para evitar pesadelos.

As pedras azuis são usadas ou carregadas para promover curas variadas e, especificamente, para baixar febres, remover úlceras e suas causas e eliminar inflamações. Às vezes são seguradas para reduzir ou tirar a dor do corpo.

Se sentir necessidade de purificação, use pedras azuis, talvez durante o banho, para purificar seu ser interior, assim como a parte exterior. Geralmente isso é feito antes de um ritual mágico.

Violeta

As pedras de cor violeta ou índigo são receptivas e espirituais. Regidas por Júpiter e Netuno, há tempos são associadas ao misticismo e à purificação. São pedras excelentes para ser usadas na meditação, no trabalho psíquico ou durante qualquer ritual destinado a entrar em contato com a mente subconsciente.

Assim como as pedras de cor verde e azul, violeta é a cor da cura e da paz. Essas pedras são usadas para manter a saúde e, às vezes, dadas a crianças rebeldes para promover a obediência. Fisicamente, as pedras violeta são utilizadas para aliviar problemas na cabeça, tais como cefaleias, doenças mentais, concussões e problemas capilares. Aliviam a depressão e favorecem um sono reparador, se usadas à noite.

As pedras violeta são associadas à religião organizada, assim como a sistemas mais espontâneos, orientados para a Terra. São usadas para entrar em contato com forças superiores.

Branco

Pedras brancas são receptivas e regidas pela Lua. Assim sendo, estão intimamente ligadas ao sono e ao psiquismo.

No passado, as pedras brancas, especialmente as calcedônias, eram usadas para favorecer a lactação das mães que tinham problemas para amamentar seus bebês. Na América contemporânea, elas são consideradas pedras da sorte, sempre carregadas no bolso ou usadas para atrair boa sorte.

Como a Lua brilha à noite, suas pedras são usadas para proteger depois que escurece, geralmente quando se anda à noite por lugares perigosos. Às vezes, são carregadas ou usadas em conjunto com pedras vermelhas para se ter proteção a toda hora.

Para se livrar de uma dor de cabeça, carregue uma pedra branca em seu bolso.

Alguns trabalhadores dizem que as pedras brancas, por conter todas as cores, podem ser energizadas magicamente para agir como substitutas de pedras de qualquer cor. Isso pode ser feito por meio da visualização.

Preto

Pedras pretas são receptivas. Representam terra e a estabilidade, sendo regidas por Saturno, o planeta da restrição. As pedras pretas são simbólicas de autocontrole, de resiliência e de poder calmo.

Consideradas por alguns como protetoras, na maioria das vezes são usadas para "aterrissar" uma pessoa. Se você for uma pessoa distraída, confusa ou tão focada no lado espiritual que sua vida física sofre, use as pedras pretas.

Misticamente, preto é a cor do espaço sideral, da ausência de luz. Se desejar fazer um encantamento de invisibilidade mágica para assegurar que suas ações não serão vistas pelos outros, use uma pedra preta para tal finalidade. Por exemplo, faça uma pequena imagem de si mesmo em argila preta e a enfeite com pedras pretas. Coloque-a dentro de uma caixa preta ou feita de espelhos e ponha a caixa em um lugar escuro. Isso simplesmente esconderá você dos outros, se eles representarem uma ameaça à sua vida.

Pedras multicoloridas

Pedras que apresentam diversas cores, tais como pedras-de-sangue (vermelho e verde), turmalinas (muitas combinações) e opalas (todas as cores), são evidentemente mais complexas em sua composição mágica do que aquelas de uma só tonalidade. Para a maioria delas, basta olhar individualmente para cada uma das cores e determinar os usos da pedra, combinando as energias de cada uma.

Opalas são um caso à parte, assim como todas aquelas que exibem um arco-íris ou grande variedade de cores. Verifique a parte dois deste livro para obter informações específicas.

Outras cores

Para aquelas pedras com fragmentos de metais, como lápis-lazúli (que contém pirita de ferro), procure informações relativas aos diversos metais dentro delas na parte três deste livro.

Os diversos tons ou combinações das cores básicas listadas anteriormente (tais como verde-limão ou turquesa) também exigem que se combinem as informações relativas a cada cor.

Capítulo 5

Corações, Diamantes e Estrelas: A Magia da Forma

Que poderes especiais possuem as pedras-gemas, como o rubi e a safira, em forma de estrela? Será que uma pedra em forma de coração tem o poder de atrair o amor? Qual é o significado mágico das pedras redondas, quadradas ou triangulares?

As pedras formadas naturalmente apresentam formatos que vão desde massas disformes até cristais hexagonais. Quando expostas no solo, a ação do vento e da água altera a aparência delas, produzindo, geralmente, formas reconhecíveis.

Quando coletadas, são quebradas em pedras menores ou extraídas da matriz em que se formaram. Mais tarde, nas mãos de um lapidador, elas são polidas e lustradas, cortadas e facetadas; o que, obviamente, altera ainda mais o formato da pedra.

É comum que as formas das pedras revelem ao observador experiente os poderes mágicos nelas contidos. Acredita-se que aquelas pedras formadas por processos naturais sejam mais poderosas do que as que adquirem suas formas artificialmente. As primeiras possuem profundo significado mágico.

Essa é a magia xamânica. No Peru atual, os xamãs usam essas pedras em seus rituais. Várias tribos indígenas americanas valorizavam pedras em formas de animais para uso em magias e rituais. Entretanto, hoje em dia raramente se considera a magia do formato das pedras.

Este capítulo examina algumas das formas em que são encontradas as pedras-gemas, assim como aquelas criadas pelos seres humanos. Também discute aquelas poucas pedras que brilham, resplandecem e que parecem ter movimento dentro delas.

Já que as pedras são encontradas em muitas formas, examinaremos apenas as mais importantes. Se você possui uma pedra de formato peculiar, deixe que ela fale com você. Com o que ela se parece? Quais são as associações com aquela forma? Sinta as energias e trabalhe com a pedra para descobrir os poderes dela.

Quando estiver trabalhando com pedras formadas naturalmente, o tipo da pedra não é tão importante quanto a forma dela, a menos que você decida que é.

A magia está na forma!

Pedras redondas simbolizam os poderes receptivos do Universo, do magnetismo e da Deusa Mãe. São ligadas ao sistema reprodutor feminino e, de fato, podem ser usadas para representar mulheres em rituais de cura, por exemplo.

Essas pedras são chaves para a espiritualidade, para acessar a consciência psíquica. São usadas para magias de amor e em todos os tipos de rituais de "atração". Um exemplo: para atrair dinheiro, coloque pequenos pedaços de olivina ou de jade formando um quadrado em volta de uma pedra redonda e faça uma visualização.

Esferas, agora disponíveis em uma grande variedade de pedras, são frequentemente usadas em sessões de vidência.

Pedras longas e finas são, obviamente, símbolos fálicos, embora não se incluam necessariamente entre elas os cristais de quartzo ou outras pedras cristalinas. Elas são projetivas e representam a eletricidade e o grande deus das religiões pagãs.

Essas são pedras de energia e podem ser carregadas ou colocadas no altar para tal finalidade. Para proteção, pendure uma delas na porta da frente ou coloque-a de frente para um espelho.

As pedras redondas e compridas podem ser usadas em conjunto para encantamentos de amor: basta dispô-las lado a lado, ou uma sobre a outra no altar, enquanto visualiza. Se ao redor dessas duas, ou perto delas, você colocar outras pedras que atraem amor, acrescentará poder e simbolismo ao ritual.

As pedras em forma de ovo são usadas para estimular a criatividade e as novas ideias. Também são colocadas no altar de pedra para trazer "fertilidade" ao ritual. No passado, as mulheres carregavam pequenas pedras com esse formato para promover a concepção. As maiores podem ser enterradas no jardim para melhorar a fertilidade das plantas.

As pedras quadradas simbolizam a terra, a prosperidade e a abundância e por isso são usadas em encantamentos desse tipo. Elas também promovem estabilidade e aterramento. Use uma delas para concentrar-se em um projeto de cada vez, se sentir que sua vida está muito dispersa.

Pedras em forma de coração são, claro, usadas magicamente para estimular e atrair amor. Você pode levá-las consigo para trazer amor para sua vida, ou para expandir o amor dentro dela, e para permitir-se receber e doar amor.

Pedras triangulares são protetoras e são usadas ou carregadas para essa finalidade. Para proteger sua casa, coloque uma pedra triangular na janela, de frente para a rua mais próxima.

Acredita-se que pedras encontradas em forma de L tragam boa sorte, talvez porque essa forma sugira a conjunção do espiritual com o físico. Podem ser portadas como talismãs de boa sorte, ou colocadas no altar.

As pedras que lembram partes do corpo são usadas na magia para curar ou fortalecer aquela determinada parte: as que têm forma de rim são boas para os rins e assim por diante. Essas pedras ilustrativas, que são usadas no corpo depois do ritual, agem como pontos de concentração para a visualização.

Pedras em forma de pirâmide, raras na natureza, mas cada vez mais comuns no comércio, concentram e desprendem energia pela ponta em direção ao objeto da magia. Assim, se você precisa de dinheiro e quer atrair prosperidade, deve colocar uma nota de um dólar embaixo da pirâmide e visualizar a energia do dinheiro fluindo da nota, atravessando a pirâmide e saindo dela.

Pedras em forma de diamante, evidentemente, fazem lembrar a gema preciosa e, por isso, são usadas para atrair riqueza.

Esses exemplos devem ser suficientes para permitir que você explore os possíveis usos mágicos dos diversos formatos de pedras que vier a encontrar em praias, margens de rios ou leitos secos de riachos.

Pedras furadas, aquelas que apresentam um furo natural, são tão importantes em magia que serão discutidas em uma sessão exclusiva na parte dois. Pedras que exibem formas surpreendentes, como estaurolita e pedra de cruz, também serão encontradas ali.

Há também as apreciadas não pela forma, mas por sua natureza brilhante ou lustrosa. Pedras como olho de gato, rubi estrelado, safira estrelada, pedra da lua, olho de tigre, pedra do sol e muitas outras exibem o fenômeno conhecido como efeito olho de gato.

Inúmeras lendas foram formadas em torno dessas pedras. Alguns povos acreditavam que demônios ou espíritos viviam dentro delas e provocavam aquele efeito de lampejo.

Há tempos tais pedras vêm sendo consideradas protetoras, já que repelem a negatividade. São usadas como joias para proteção pessoal.

Essas pedras de "movimento" também são benéficas para magias ligadas a viagens, ou podem ser usadas durante a jornada, pois têm efeitos protetores.

Acredita-se que as estrelas que aparecem nas safiras e nos rubis aumentam a eficiência mágica dessas pedras.

Capítulo 6

Obtendo as Pedras

Obter pedras para fins mágicos pode ser fácil ou difícil, caro ou barato: tudo depende de seus desejos e necessidades.

Você não precisa necessariamente ter gemas de alta qualidade para ser usadas em magia. Embora uma esmeralda perfeita tenha forte efeito mágico, uma de qualidade inferior (como a que comprei em uma exposição de pedras há poucas semanas por 4,50 dólares) terá exatamente o mesmo efeito, ou uma potência levemente menor. O mesmo ocorrerá com as substituições dessas pedras (veja na parte quatro uma lista de substituições mágicas).

Se você pretende mesmo praticar magia, faça um estoque de pedras. Você não precisa obter cem tipos diferentes de pedras; dez ou 12, provavelmente, serão adequadas para começar. Faça uma coleção que poderá servir para quase todas as necessidades mágicas. Aqui está uma seleção representativa:

Âmbar   Cristal de Quartzo
Ametista   Quartzo Rutilado
Cornalina   Estaurolita
Granada   Olho de tigre
Lápis-lazúli   Turmalina (verde, rosa, azul e preta)
Peridoto

Claro que suas próprias necessidades e áreas de interesse irão afetar sua escolha. Leia a parte dois deste livro e componha uma lista pessoal. Altere a lista quando descobrir pedras novas, ou quando se encontrar em situações inesperadas em que poderá precisar delas.

Como obter as pedras em si? Há três métodos básicos: comprar, trocar e coletar. Enquanto a maioria das pedras, hoje em dia, tem de ser comprada e paga (exatamente como no passado), é mais barato e divertido trocá-las. Coletá-las diretamente da terra, em todo o seu frescor, é melhor ainda.

Comprando pedras

A variedade de pedras disponíveis hoje é enorme. Elas vêm de todas as partes do mundo, às vezes viajando dezenas de milhares de milhas, e passam por muitas mãos antes de chegar ao balcão onde você paga por elas. As espécies mais comuns, ou de qualidade inferior, podem custar centavos. Outras pedras custam centenas de milhares de dólares por grama ou quilate.

A maioria das grandes cidades tem lojas de pedras, assim como cidades pequenas em áreas ricas em minerais. Embora os proprietários raramente tenham conhecimentos de magia, esses ainda são lugares magníficos para "garimpar", comprar pedras e aprender mais sobre suas propriedades ocultas. Com frequência, os preços são excelentes, mas vale a pena procurar pelos melhores. Depois que você fizer amizade com os donos de lojas de pedras, saberá quando são esperadas peças novas e poderá escolher primeiro.

Lojas de metafísica, da Nova Era ou de ocultismo geralmente apresentam grande variedade de pedras. Essas lojas são encontradas em número cada vez maior por todo o país. Virtualmente todo mundo vende cristais de quartzo, a "nova" pedra da Nova Era.

Procure na lista telefônica os fornecedores locais de pedras e de pedras-gemas. Museus de história natural vendem pedras em suas lojas de presentes, geralmente com bons preços. Feiras de exposição com estandes de clubes de gemas ou de pedras locais também apresentam áreas de vendas.

Também é possível encomendar pedras pelo correio; apresento uma lista de possibilidades no apêndice deste livro.

Por fim, as feiras de pedras-gemas, locais ou regionais oferecem uma surpreendente variedade de espécimes para você escolher.

Essas feiras de pedras ou pedras-gemas representam uma parte tradicional do comércio. São uma espécie de "ritual" que atrai milhares de colecionadores e centenas de comerciantes. A feira em si, que normalmente acontece em um centro de convenções, consiste em fileiras de barracas a perder de vista, cada uma ocupada por um negociante. Centenas de milhares de gemas e de minerais reluzem ali.

Você conseguirá fazer as melhores compras nessas feiras de exposição. A maioria dos negociantes que viaja pelo país todo, de evento em evento, conhece muito bem os comerciantes locais e por isso os preços são baixos. Para se assegurar de que não está pagando demais por uma pedra, compares os preços de diversos comerciantes antes de comprar.

Quando comecei a praticar magia em 1971, a maior parte das negociações era feita com base em um "antigo" édito mágico. Ele diz: nunca troque ou pechinche para comprar objetos destinados à magia. Segundo a interpretação, isso inclui não procurar pelo melhor preço possível. Nos últimos anos, a ideia parece ter sido esquecida e é raramente mencionada em conversas ou nos livros.

Embora eu tenha chegado a seguir essa "regra", sempre senti – assim como muitos outros – que esse édito foi formulado, ou popularizado, pelos comerciantes ávidos por vender suas mercadorias pelos mais altos preços.

Aos infernos com essa regra irritante! Ela não é mais válida. O dinheiro é energia em forma física. Embora eu não faça magia por dinheiro, não vejo nada de errado em usá-lo de forma inteligente ao comprar objetos para magia, inclusive pedras.

De volta às feiras. Nesses eventos, com frequência se encontram pedras virtualmente impossíveis de obter em lojas locais.

Peça aos negociantes aquela pedra incomum e poderá encontrá-la. Em uma feira recente em San Diego, procurei em vão por pedra do sol e estaurolita. Só de perguntar por elas em duas barracas diferentes, consegui belos exemplares, que comprei rapidamente.

Essas feiras de exposição de pedras acontecem em todo o país. Para ficar sabendo das próximas, verifique as datas no exemplar atual do *Lapidary Journal* (veja apêndice "Fontes de pedras") ou no jornal de sua região. Pergunte também nas lojas de pedra, pois geralmente os proprietários têm conhecimento das feiras de exposição que ocorrem nas áreas próximas.

Trocando pedras

Está sem dinheiro, mas com excesso de um certo tipo de pedra? Por que não trocar? Trocar um objeto de valor por outro objeto de valor similar é uma prática antiga, muito mais antiga do que o uso do dinheiro.

Antigamente, os magos e as feiticeiras não eram pagos para fazer trabalhos de cura, de purificação, rituais mágicos ou trabalhos psíquicos. Eles recebiam comida, abrigo ou outras coisas em troca da energia despendida. Tal sistema ainda é usado em locais primitivos e até mesmo em países industrializados.

Se você tiver amigos interessados em expandir a variedade de suas coleções de pedras, em especial aquelas ligadas a magia, reúna suas pedras e veja o que acontece.

A troca é uma forma particularmente satisfatória de intercâmbio. Ao mesmo tempo, aumenta sua variedade de pedras e a de seus amigos também. Não há nenhum gasto de dinheiro, o que reduz o impacto econômico imediato de se obter outras variedades de pedra para usar com magia. A troca é muito comum entre os colecionadores que saem para cavar e extrair por conta própria, o que nos remete ao terceiro método de obter pedras.

Coletando pedras

Que aventura é coletar pedras e minerais! Tirar a poeira com uma escova e ver um lampejo brilhante de cor é uma experiência surpreendente, mágica mesmo. Comprar pedras pode ser excitante, mas encontrar suas próprias pedras com certeza é muito mais agradável.

No mundo todo, há áreas bastante ricas para coleta de diversas pedras-gemas e de minerais. Por morar em San Diego, tenho a felicidade de estar cercado por áreas que oferecem turmalinas, kunzita, granada, lepidolita, mica, berilo, cristal de quartzo, ágata e calcita, entre muitas outras pedras e minerais. Bons locais de coleta também podem ser encontrados em praticamente todos os locais do planeta.

Sendo nós magos que trabalham com as forças naturais do Universo e que respeitam a terra como uma manifestação dessas forças, devemos tratar com reverência uma expedição de coleta. Os rituais e as oferendas feitas antes da partida são considerados obrigatórios pelos praticantes de magia.

Obtendo as Pedras

Além do extraordinário divertimento e da alegria de descobrir pedras jamais vistas antes por um olhar humano, há outras razões para coletar suas próprias pedras.

Atualmente, muitos sentimentos negativos envolvem os arredores das minas de cristais de quartzo no Arkansas. A mineração é o meio mais barato de coletar cristais de quartzo, e o mais prejudicial ao planeta. No mundo todo, trabalhadores pobres trabalham de sol a sol para extrair valiosas gemas para os inescrupulosos donos das minas, que lhes pagam centavos para extrair pedras mais tarde vendidas por milhares de dólares. Geralmente os preços das pedras são estabelecidos e mantidos artificialmente nas alturas, assim negando a muitos de nós o simples prazer de possuí-las e de, consequentemente, ter acesso a seus poderes.

Graças a essas circunstâncias, alguns magos questionam o valor de algumas pedras encontradas no mercado. Não seriam negativos os poderes dentro de um cristal de quartzo retirado do solo dessa maneira? Uma esmeralda, extraída por um trabalhador colombiano exausto e subnutrido, não estaria magicamente prejudicada?

Alguns mineradores acham que sim, e recomendam que tais pedras sejam especialmente preparadas e purificadas antes de seu uso em magias e em rituais. Uma vez que as pedras-gemas podem ser "programadas" da mesma forma que os computadores, qualquer sentimento ruim, ou uso inadequado, envolvido na coleta pode ficar impresso nelas e afetar seu proprietário final.

Para não ter dúvidas quanto a origem, autenticidade e método de extração das pedras, tente coletar as suas próprias. O processo é bastante simples. Procure nas livrarias (especialmente aquelas dentro de museus), bibliotecas ou lojas de pedras da sua região por guias das áreas de coleta mais próximas. Muitas minas em atividade reservam dias especiais para colecionadores fazerem sua própria extração ou, mais frequentemente, cavar nos "refugos" (os resíduos do trabalho dos mineiros) que em geral são ricos em gemas. Geralmente é cobrada uma pequena taxa de seguro.

Há também muitas áreas de coleta em serras estaduais ou federais abertas aos caçadores de pedras. Aquelas dentro dos parques nacionais são, evidentemente, proibidas; as que se localizam em propriedades particulares exigem permissão prévia do proprietário.

Planeje sua viagem de modo a estar preparado para as eventualidades: chuva (acessórios como bota e capa de chuva), sol escaldante (protetor solar, óculos de sol e chapéu de abas largas) e picada de cobra (estojo de primeiros socorros). Traga também comida, água e qualquer outra coisa de que se lembre. Traga um amigo também. Se for para áreas isoladas, diga aos amigos para onde está indo e quando pretende voltar.

Leve ferramentas simples, como espátula, picareta, pá pequena, peneiras para separar a terra, saquinhos, garrafas ou frascos para guardar suas amostras, talvez um pincel e uma faca, e só, além de uma sacola maior ou mochila para carregar tudo. Cavernas e minas exigem capacetes, cordas, lanternas potentes e roupas de proteção.

Quando estiver preparado para sua viagem de extração, realize algum tipo de ritual para a terra. Não precisa ser nada além de uma harmonização, uma oferenda e um agradecimento antecipado. Já que existem infinitas variedades desses rituais pré-coleta, aqui vão dois exemplos:

O primeiro é realizado antes de sair para a viagem.

Fique de pé na frente do seu altar de pedras. Na mão direita, segure um exemplar (se já tiver um) do tipo de pedra que está procurando. Harmonize-se com ela e, por meio dela, com a terra. Visualize cavernas enormes cheias de cristais brilhantes. Sinta as pedras vibrando dentro da terra, emitindo ou absorvendo energias.

Visualize a si mesmo encontrando as pedras. Com quaisquer palavras ou símbolos, agradeça à terra por seu sacrifício. Enquanto faz isso, carregue a pedra para fora e a enterre em algum lugar.

Está terminado.

O outro exemplo pode ser realizado depois da chegada ao local, ou ao ar livre, antes de viajar para a região.

Escolha alguns objetos preciosos – uma pedra-gema polida, uma pequena moeda de prata, algumas gotas de um óleo precioso, um vinho ou mel. Vá até um lugar selvagem ou desabitado, ou ao próprio local de coleta.

Sente-se na terra e coloque suas mãos no solo, uma em cada lado de suas coxas. Endireite a coluna até que ela fique ereta e você ainda se sinta confortável. Sinta a terra vibrando embaixo de você. Chame-a e peça a permissão dela para coletar pedras. Visualize-se coletando pedras amorosamente. Veja a si mesmo usando-as em magias positivas e renovadoras da vida.

Então, enterre sua oferenda no solo e, em atitude reverente, comece a expedição de coleta.

Qual é a eficiência desses rituais?

Um amigo me disse que, sempre que realizava um ritual antes de coletar, obtinha bons resultados – quando não, ocorria o contrário. Claro que esses rituais não são necessários. Os caçadores de pedras que não estão envolvidos com magia jamais pensariam em fazer tais coisas, e mesmo assim fazem achados fabulosos.

Entretanto, para nós que trabalhamos com magia, os ritos são um prerrequisito. Nós não estamos aqui para "dominar e subjugar a Terra". Nós trabalhamos em harmonia com ela, especialmente ao coletar alguns de seus tesouros.

Por isso faça seus rituais e colete suas pedras mágicas. E boa coleta!

Capítulo 7

Limpando as Pedras

Conforme mencionei no capítulo 6, as pedras são submetidas a um amplo espectro de energia antes de chegarem à sua casa. Antes de usá-las para fazer magia, muitos praticantes realizam uma limpeza ou purificação nas pedras.

Esse é um processo simples que remove todas as influências passadas da pedra, deixando-a pronta para nossos usos. É aconselhável fazer isso para cada pedra. As únicas exceções são aquelas que você mesmo coleta, a menos que as tenha encontrado perto de alguma instituição militar, uma rodovia ou em solo poluído.

Há muitos métodos para purificar uma pedra. O mais simples é expor as pedras à luz solar por um dia, três dias ou até por uma semana. Os raios do sol fazem o trabalho, queimando as energias desnecessárias.

Coloque as pedras na luz solar direta. A soleira interna de uma janela não é um local tão bom quanto um local ao ar livre, pois o vidro da janela bloqueia alguns dos raios solares. Recolha as pedras todos os dias ao entardecer. Algumas pedras ficarão "limpas" depois de um único dia absorvendo os raios. Outras precisarão de períodos mais longos de tempo. Verifique as pedras diariamente e sinta as energias dentro delas, segurando-as em sua mão receptiva. Se as vibrações forem regulares e saudáveis, a limpeza foi bem-sucedida.

Há um segundo método, que é um pouco mais difícil. Nesse caso, a ferramenta é a água corrente. Coloque as pedras em água corrente e deixe-as ali por um ou dois dias.

Se por acaso houver um rio ou riacho perto de sua propriedade, seria o ideal. Coloque as pedras em um saquinho de rede ou crie algum outro invólucro para que elas não sejam levadas pela água. Deixe que passem a noite na água, o que levará gentilmente as impurezas.

A terceira principal técnica é regida pelos poderes da terra.

Enterre a pedra no solo por uma semana mais ou menos e depois verifique se está purificada. Se estiver, lave-a ou esfregue-a e pode começar sua magia.

Essas são todas purificações naturais, realizadas com as energias dos elementos. Entretanto, se não puder realizá-las, existe ainda outro método, um ritual de purificação que pode ser feito em sua própria casa. Faça o ritual em seu altar, se tiver um, ou em qualquer mesa. É melhor que seja realizado ao nascer do sol ou durante o dia.

Encha uma vasilha com água pura e coloque-a na posição sul. Acenda um incenso e ponha-o a leste. Finalmente, coloque um prato ou uma vasilha cheia de terra recém-cavada ao norte do altar. No meio de todos esses objetos, coloque a pedra a ser purificada.

Quando tudo estiver pronto, acalme sua mente e segure a pedra em sua mão projetiva. Volte sua atenção para a vasilha com terra. Coloque nela a pedra e cubra-a com a terra fresca.

Diga algo que tenha o efeito de:

"Eu te purifico com terra!"

Deixe a pedra ali por alguns minutos, enquanto visualiza a terra absorvendo as impurezas da pedra.

Então retire-a, limpe a poeira e segure-a na fumaça do incenso. Passe-a nove vezes através da fumaça, da direita para a esquerda, dizendo palavras como estas:

"Eu te purifico com ar!"

Depois, passe a pedra rapidamente através da chama da vela diversas vezes, dizendo:

"Eu te purifico com fogo!"

O fogo queima toda a negatividade.

Agora coloque a pedra na água e diga estas, ou outras palavras parecidas:

"Eu te purifico com água!"

Visualize a água lavando-a e limpando-a.

Deixe a pedra na água por algum tempo, depois seque com um tecido limpo e segure-a em sua mão receptiva.

A pedra está limpa? Se não estiver, repita esse ritual simples tantas vezes quantas forem necessárias, até ter certeza de que o trabalho está feito.

Depois disso, guarde a pedra em um local especial. Ela está pronta para ser usada em magia.

Capítulo 8

As Histórias dentro das Pedras

É melhor conhecer bem as pedras antes de usá-las em magia. Familiarizar-se permite que você trabalhe com os poderes que elas têm. Depois de se harmonizar, digamos, com uma ametista, você desenvolverá um "conhecimento mágico" em relação àquela pedra. Essa é uma verdadeira ferramenta e uma das três necessidades da magia (veja o capítulo 2).

Medite sobre cerca de dez pedras para começar, e mais tarde vá acrescentando outras conforme forem surgindo em sua vida, como a sugilita recentemente surgiu na minha. Quando ocorrer uma situação que exigir um rito mágico, você saberá qual pedra usar.

Trabalhe com as pedras individualmente. Se você estudar, digamos, citrino pela manhã e mudar para aventurina à tarde, suas associações com essas pedras não ficarão tão claras como se você dividisse sua sessão em dois dias, permitindo-se um estudo mais profundo de cada uma.

Tente repetir as sessões para cada pedra, pelo menos duas ou três vezes no mesmo dia, para ter imersão completa.

Se não quiser fazer mais nada depois da harmonização principal, simplesmente olhe para a pedra algumas vezes durante o dia ou segure-a por um momento. Para "ouvir" as histórias dentro das pedras, você poderá tentar o método a seguir, que, no melhor estilo xamânico, se destina a permitir que a pedra ensine você. O Universo está constantemente falando conosco, com todos, sem exceção. Lembre-se de ouvir!

Limpe a pedra, se necessário (veja o capítulo 7). Depois reserve algum tempo, digamos, meia hora, dependendo de seu desejo de trabalhar com as pedras.

Encontre um local tranquilo. Pode ser um jardim, a sala de estar quando as outras pessoas estiverem dormindo, ou um vale silencioso em um bosque próximo. Até um parque da cidade ou um telhado servirá.

Dê preferência a qualquer lugar ao ar livre em vez de áreas internas, mas, novamente, faça o que for possível.

Este é um exercício com pedras feito em duas fases. A primeira utiliza a mente psíquica, subconsciente, profunda. Pelo menos parte dessa mente tem sido chamada ultimamente de "cérebro direito". A segunda utiliza a mente socialmente controlada, consciente, intelectual, hoje conhecida como "cérebro esquerdo".

Instale-se confortavelmente na frente da pedra, no chão, assoalho, ou em uma cadeira em frente a uma mesa. A pedra deve estar ao alcance de sua mão. Feche os olhos e ouça seu mantra, sua respiração. Acalme a mente consciente. Respire profunda e compassadamente.

Com os olhos ainda fechados, abra sua mão receptiva (a esquerda para os destros, a direita para os canhotos). Mantendo-a a poucas polegadas do chão ou mesa, mova-a suavemente para a frente e para trás. Centralize sua concentração na consciência da palma dessa mão. Você está procurando pela pedra. Não *tente* sentir as energias da pedra; *apenas permita-se fazer isso*.

Digamos que eu estou fazendo o exercício com um pequeno cristal de quartzo. Quando minha mão passa sobre ele, posso sentir a forte emanação vinda da pedra, talvez se manifestando como calor e latejando em minha palma.

Quando afasto minha mão do cristal, a sensação para. Quando passo a mão sobre ele outra vez, o fluxo de energia move-se através de minha palma. Isso pode parecer estranho ou sobrenatural, mas é um uso perfeitamente natural de nossos sentidos, o qual é vital em magia.

Quando tiver localizado a pedra, apanhe-a, usando outra vez seus sentidos para determinar a exata localização dela. Seus dedos devem fechar-se perfeitamente ao redor dela. Se isso não ocorrer, trabalhe nela outra vez.

Seus olhos ainda estão fechados. Você está utilizando a mente psíquica. Segure a pedra em sua mão receptiva por algum tempo. As energias serão detectadas com mais facilidade agora que você está mais perto de sua fonte. Qual sua sensação dessas energias?

Elas afetam seu estado de ânimo? Você está mais feliz? Mais calmo? Energizado? Animado?

Com os olhos ainda fechados, mova a pedra devagar para cima e para baixo a poucas polegadas de seu corpo, desde a barriga até o topo de sua cabeça. Sente alguma coisa diferente?

Você sente a energia da pedra dentro de você, quase como um quente raio de sol? Ou como um frio raio de luar?

Em seguida, transfira a pedra para sua mão projetiva, sinta a pedra. Ela é lisa, brilhante, rústica ou estriada? Ela esfarela? É fria ao toque? Quente?

Depois de tê-la explorado com os dedos, sinta o peso da pedra. Ela é leve? Pesada?

Lembre-se de tudo isso – de todas as impressões, sensações e efeitos emocionais, caso ocorram.

Abra os olhos e olhe para a pedra. Com todas as informações que acabou de receber em sua mente, estude-a com os olhos. Com certeza você já havia olhado para essa pedra antes, mas nunca com todas essas sensações.

Contemple-a por algum tempo, simplesmente observando-a pela primeira vez. Veja-a como olhos de um xamã. Penetre-a com sua visão, analise-a, exercite sua mente consciente.

Qual é o formato dela? Se não tiver sido lapidada, é um cristal natural liso, um pedaço de mineral rústico ou uma pedra desgastada pelas águas? Se for cristalina, quantas faces ela contém? Essas faces têm formas regulares ou irregulares? São ranhuras profundas?

Agora focalize a cor da pedra, permitindo que ela preencha sua consciência. O tom é intenso ou pálido? Brilhante ou escuro? Agradável ou desconfortável? Ela afeta seu estado de ânimo? Que associações (mágicas ou não) você faz com relação à cor?

A pedra é solidamente opaca, translúcida ou transparente?

Deixe que a pedra responda a essas questões. Estude-a como um médico estudaria um paciente. A pedra está falando com você, revelando sua natureza mágica e seus usos.

Quando sentir que sua concentração está se dissipando, ou quando estiver simplesmente aborrecido (um bom sinal de que a "conversa" acabou), e em especial se você foi interrompido, segure a pedra com as duas mãos, eleve-a em direção ao céu, abaixe-a até o chão e depois a pressione contra seu ventre. Esse é um ritual simples que define o fim da sessão, utilizando uma apresentação simbólica da pedra a todas as energias, acima e abaixo. Agora, procure informações de magia relativas à pedra neste livro, ou em outros. Veja se coincidem com o que você descobriu.

Se você é do tipo que gosta de registrar as coisas, escreva um resumo da sessão. Registre a pedra, as energias dela, suas sensações.

Se desejar, carregue-a consigo por algumas horas durante o dia ou à noite, depois da harmonização. Sinta todas as alterações que ocorrem em si mesmo, enquanto a estiver usando.

Quando não estiver fazendo uso dela, coloque-a em um lugar seguro, talvez em seu altar, ou em sua bolsa xamânica, se tiver uma (consulte o glossário para os termos incomuns usados neste livro).

Sua meditação sobre as pedras acabou.

É importante que você repita esse processo diariamente tantas vezes quanto achar necessário. Pode levar apenas uma sessão para processar todas essas informações, mas também é possível que você precise de várias. Você pode tentar fazer a parte "consciente" do exercício durante o dia e a parte "subconsciente" à noite. O nascer ou o pôr do sol são horas ideais para se fazer isso, pois elas simbolizam a mudança da mente psíquica (noite) para a mente analítica (dia).

Se tiver amigos que usam pedras em magia, pergunte as impressões que eles têm sobre as pedras. Partilhe informações se quiser, porque ninguém tem o monopólio sobre esses assuntos. Lembre-se de que as impressões dos outros podem ser muito diferentes das suas.

Que complicação. Afinal, será que a pedra não faria seu trabalho mágico sem todo esse ritual? Talvez sim. E com certeza faz, às vezes. Mas, em magia com pedras, os poderes que sentimos nas matérias-primas são apenas parte das energias que usamos. As pedras são geralmente usadas como pontos focais para o *poder pessoal* que despertamos dentro do nosso corpo.

Por meio dos rituais, nós transmitimos esse poder pessoal para as pedras, que agem como lentes focalizadoras e concentradoras de energia, enquanto acrescentam a própria energia à "transmissão". A energia é, então, enviada na direção do objetivo mágico.

Nosso conhecimento íntimo das pedras, de sua formas, cores e poderes, nos proporciona uma conexão mais firme com elas, permitindo uma projeção mais forte e mais segura da energia para dentro delas. Talvez a magia com pedras funcione sem que o praticante tenha familiaridade com as ferramentas. Mas, assim como a prática e o desejo podem transformar um canivete em excelente ferramenta para entalhar madeira, do mesmo modo sessões como essas determinam a eficiência do praticante de magia. Ignorá-las é perder metade da magia.

Capítulo 9

Adivinhação com Pedras

A divinhação é um processo mágico que utiliza diversas ferramentas para oferecer vislumbres do futuro. O uso de cartas de tarô é uma forma de adivinhação, assim como observar as nuvens que passam sobre nossas cabeças ou analisar os padrões formados por folhas de chá em uma xícara.

Para aqueles que não conseguem ter mediunidade de forma consciente quando surge a necessidade, a adivinhação é a segunda melhor opção. Enquanto realizamos essa magia, focalizamos nossa mente consciente nos símbolos apresentados para nós e permitimos que eles entrem em contato com nossa mente psíquica. Os símbolos – moedas, runas, pingos de chuva na janela – são apenas chaves que nos permitem acessar nossa consciência psíquica.

Há milhares de formas de adivinhação. Tal prática sempre foi bastante comum em todas as culturas ao longo da história. Muitas vezes, esses ritos eram realizados pelo próprio indivíduo, ou então por sacerdotisas, sacerdotes ou xamãs. A busca pelo conhecimento de possíveis eventos futuros continua viva até hoje.

Eu disse "possíveis eventos futuros" porque nada está gravado em pedra. O futuro não está mapeado antecipadamente; nossas vidas não estão se desenrolando de acordo com algum plano divino. Nós estamos criando nosso futuro a cada segundo de cada dia. Nossas vidas são o resultado de nossas decisões.

Assim como nós determinamos nosso futuro, outras pessoas podem influenciar nossas vidas, se deixarmos. As forças universais fluem e refluem, acrescentando suas energia para formar o amanhã. Os fatores que estão em jogo aqui vão muito além de nossa compreensão.

Felizmente, não precisamos entender esses processos para conseguir ter um vislumbre do futuro. Tudo de que precisamos é escolher nossas ferramentas e usá-las ritualmente, para entrar em contato com a consciência psíquica existente dentro de todos nós.

A adivinhação com pedras é uma excelente modalidade dessa arte milenar. Quando precisar de orientação em relação a alguma importante decisão, procure a ajuda das pedras. Se sentir medo ao pensar em um evento próximo, consulte as pedras. Se não tiver certeza de que o ritual que você está prestes a realizar é adequado ao seu objetivo, faça uma adivinhação com pedras para que tudo entre no foco exato.

Isso pode facilmente transformar-se em uma muleta. É um clichê ouvir falar de um homem ou mulher que não sai de casa sem consultar um vidente, mas muitas vezes é verdade. A adivinhação não é um guia divino nem uma necessidade para a vida diária; é uma ferramenta que apanhamos, usamos quando necessário e depois largamos. A adivinhação pode nos ajudar a tomar decisões, avisar-nos de possíveis perigos ou de problemas de saúde e oferecer outra perspectiva para um problema.

Pode ser empolgante realizar uma adivinhação, mas ela nunca deve ser feita como "diversão" ou para acabar com o tédio. Assim como a magia, a adivinhação deve ser usada apenas quando necessário.

A maioria dos sistemas de adivinhação contém algum tipo de elemento do "acaso". Isso determina que ferramentas – nesse caso as pedras – estarão disponíveis para nos ajudar a desvendar os segredos do amanhã. Tirar uma pedra de um saquinho aleatoriamente, tirar o tarô, jogar as varetas ou moedas do I-Ching, tudo isso traz o acaso para a adivinhação. Em certo sentido, nós permitimos que o Universo (natureza, divindade) determine qual pedra ou carta é a mais adequada para nos ajudar em nossa busca.

Outras formas de adivinhação baseiam-se na comunicação mais direta com a mente subconsciente. O pêndulo, por exemplo, é uma ferramenta posta em movimento por movimentos microscópicos do braço e da mão que o seguram. Tais movimentos são provocados pela mente psíquica e são interpretados para fornecer uma resposta.

Alguns tipos de adivinhação utilizam os dois sistemas. Se você tem mediunidade consciente, não precisará de adivinhação. Caso contrário, pode querer começar a trabalhar com um dos sistemas mostrados neste capítulo. Ao fazer isso, lembre-se destas coisas:

Pode levar algumas sessões até que você aprenda a trabalhar de forma adequada com a adivinhação, para conseguir acessá-la com a atitude mental correta e usar os símbolos apresentados para ativar sua consciência mediúnica.

O futuro não é predeterminado. Se vir algo que o incomoda, mude por meio da magia! Se um cenário extraordinário e róseo for apresentado a você, questione-se: será que estou lendo meus próprios desejos nisso? Estou usando o sistema de forma adequada? Será que esse é o sistema ideal para mim (em outras palavras, ele fala com minha mente mediúnica?)?

A adivinhação só deve ser realizada por necessidade. Se uma conversa honesta, alguns telefonemas ou cartas, ou ainda alguns momentos de concentração, conseguirem esclarecer suas dúvidas de forma satisfatória, tente tudo isso primeiro. Caso contrário, trabalhe com suas pedras.

Vidência com pedras

Espiar – olhar para dentro de, ou contemplar, uma superfície brilhante, luminosa ou refletora.

Esse exame das pedras é provavelmente a forma mais conhecida de adivinhação. Pedras refletoras, polidas à perfeição, têm sido usadas há milênios para desenvolver a consciência mediúnica.

A maioria das pessoas já ouviu falar da famosa "bola de cristal". Essa ferramenta nada mais é do que uma simples esfera de cristal de quartzo. Esferas de quartzo, grandes e límpidas, podem custar de mil a 10 mil dólares; mas as menores, de uma polegada ou menos de tamanho, custam aproximadamente 20 dólares. Os exemplares de seis polegadas vistos em filmes baratos são feitos de vidro ou de plástico. As esferas de quartzo de seis polegadas são raras e muito caras, mas, felizmente, desnecessárias.

O quartzo não é a única pedra escolhida para prever o futuro. Uma variedade de outras pedras também é usada para esse fim. Peças planas e quadradas de obsidiana eram as preferidas no México antigo, e as esferas ou ovais de berilo eram os preferidos na Renascença. Porém, a imaginação popular foi há tempos conquistada pela bola de cristal.

Este é um guia para aqueles que estão interessados em usar bolas de cristal de quartzo. Mas, lembre-se, é apenas um guia. Como tudo mais em magia, faça o que sua intuição pedir.

Depois de obter sua bola, lave-a com água, seque e envolva em tecido preto, amarelo ou branco. Tradicionalmente, as bolas usadas para adivinhação nunca são expostas à luz solar, pois acredita-se que isso afeta sua capacidade de entrar em contato com a mente psíquica. Talvez seja verdade, se você acreditar que é.

Entretanto, o luar é usado para purificar as bolas de cristal. A Lua cheia é a época ideal para limpar e "carregar" um cristal com seu objetivo mágico – nesse caso uma vidência bem-sucedida. Exponha a bola envolta no tecido à luz do luar. Desembrulhe-a e, com ambas as mãos, erga-a na direção da Lua.

Sinta a luz fria descendo sobre você. Veja a luz (por meio da visualização) inundando o cristal, harmonizando-o com sua energia. Então, visualize-se consultando a bola com sucesso.

Depois de alguns minutos, guarde a esfera novamente no tecido. Está terminado.

Quanto à consulta em si, aqui vão algumas dicas:

É melhor fazer à noite. Certamente há muito simbolismo aqui: a noite rege a mente psíquica. Além disso, a chance de ser interrompido é menor.

Encontre um local sossegado. Sente-se confortavelmente. Coloque o cristal sobre uma mesa ou segure-o em suas mãos.

A luz de vela pode ajudar na visualização. Embora alguns aleguem que os reflexos das chamas no cristal podem atrapalhar, outros dizem que é exatamente o que os ajuda a conseguir o estado adequado. Experimente para ver o que funciona melhor. Você pode colocar velas brancas ou amarelas atrás de suas costas no início, depois movê-las para cada um dos lados e, finalmente, cercar o cristal com as velas.

Depois que você, o cristal e as velas estiverem acomodados, relaxe. Respire profundamente por alguns momentos com os olhos fechados. Esqueça as preocupações do dia, o estresse, os problemas. Relaxe seu corpo; relaxe sua mente.

Então, abra os olhos e segure o cristal em suas mãos, até que ele fique quente. Alguns magos dizem que as pedras não funcionam se você não fizer isso. Enquanto suas mãos aquecem a pedra, seu corpo está transmitindo o poder pessoal para a pedra. Durante esse processo, visualize o assunto sobre o qual você quer consultar.

Agora recoloque a pedra no suporte ou continue segurando (o que achar mais confortável). Continue a relaxar; contemple o cristal. Não fique olhando para as profundidades dele fixamente sem piscar, apenas olhe. Pisque, se desejar. Você deve estar calmo e relaxado durante a consulta. O cristal é o símbolo da clarividência, da água (o elemento da vidência), de sua necessidade de adivinhar o futuro. Tenha isso em mente enquanto contempla a esfera. Se a operação for bem-sucedida, você entrará em contato com sua mente psíquica e ocorrerá a comunicação entre ela e sua mente consciente.

Você verá imagens? Provavelmente não – o cristal não é uma tela de cinema. Você poderá ver nuvens de fumaça girando dentro da esfera, isso é comum. Poucos conseguem ver imagens dentro dela.

Não. Se você vir imagens em algum lugar, será em sua mente. As imagens vistas durante a consulta são geralmente simbólicas; elas não são visões exatas de eventos futuros. Interprete os simbolismos da melhor maneira que conseguir.

Se não conseguir ver figuras, é possível que pensamentos indesejados venham à mente no lugar delas. Palavras, frases ou sentenças inteiras podem "saltar" de sua mente clarividente.

O que quer que você veja ou pense – imagens dentro da esfera ou em sua mente, palavras ou frases –, tente relacioná-las com sua pergunta ou com o assunto da consulta.

Palavras são algo bastante simples. Pense nelas. Significam alguma coisa para você? São ambíguas ou diretas?

Já os símbolos são mais difíceis. Por exemplo, se você estiver perguntando se seria uma ação positiva mudar-se para uma casa nova, e vir imagens de morcegos voando sobre cobras rastejando, então interprete esses símbolos.

Para alguns, as cobras estão relacionadas à sabedoria e os morcegos à sorte. Para tal pessoa, a mudança pareceria favorável. Se, entretanto, você tem medo de cobras e acha os morcegos nojentos, seus símbolos estão sugerindo exatamente o contrário.

Viu como funciona? Os símbolos são a linguagem da mente subconsciente e, mesmo que todos falemos a mesma língua, usamos dialetos diferentes. Assim, a mente psíquica de uma pessoa usa uma linguagem pessoal que pode não significar nada para os outros.

Se você não puder adquirir uma bola de cristal, ou se não desejar usá-la, há diversos métodos para consultar as pedras. Qualquer pedra naturalmente refletora, principalmente os cristais, e aquelas que parecem ter movimento interno podem ser usadas como "espelhos da mente clarividente". Dentre essas incluem-se: olho de gato, pedra da lua, pedra do sol, olho de tigre, rubi estrelado, opala e muitas outras.

Exponha a pedra à luz do sol, ao luar, ou segure-a perto de uma vela. Silencie sua mente consciente. Movimente a pedra devagar em suas mãos enquanto visualiza o assunto a ser consultado.

Faça isso durante vários minutos. Não "deseje" que alguma coisa aconteça, simplesmente espere até que os movimentos estranhos na pedra e os movimentos hipnóticos de suas mãos quebrem o apego que sua mente consciente tem ao estímulo vidente.

Outra vez, interprete quaisquer símbolos que vir.

Adivinhação das 50 pedras

Essa é uma forma completamente diferente de adivinhação. Eu adoraria ter 50 esmeraldas para usar nesse ritual, mas o tipo de pedra que se usa não é importante. Se for financeiramente viável, escolha pedras que estimulem a clarividência, como ametista, água-marinha, citrino, quartzo, cristal, pedra da lua, em qualquer combinação. Ou use as que tiver: já que o Universo (o acaso, a Deusa, o Ser, ou Deus) fornece a resposta à sua consulta, não há símbolos para interpretar.

Sim, essa adivinhação é limitada e não deve necessariamente ser levada a sério, mas ela pode simplesmente fornecer as respostas de que você precisa.

Encha um saquinho ou uma caixa com 50 pedras com aproximadamente o mesmo tamanho. Pense em sua pergunta, bote a mão no saquinho e pegue um punhado de pedras.

Coloque-as em uma superfície plana à sua frente e conte o número de pedras que escolheu ao acaso.

Números ímpares indicam condições favoráveis, resposta positiva, sucesso. Números pares indicam o contrário.

Adivinhação com pedras da cor do arco-íris

Esse método de adivinhação usa as cores das pedras para oferecer pistas relativas ao futuro. Você precisará de sete pedras, uma de cada cor, todas aproximadamente com a mesma forma e o mesmo tamanho. Coloque-as em um saquinho de tecido macio e, quando precisar de orientação, tire uma pedra ao acaso de dentro do saquinho. Ela pode responder às suas perguntas. Caso contrário, tire outra pedra e "leia" ou interprete ambas em conjunto.

Aqui está uma lista das pedras recomendadas, junto com os significados divinatórios sugeridos. Mas, lembre-se: essas associações com

Advinhação com Pedras 67

cores são aquelas geralmente aceitas. Se elas não significarem nada para você, descubra suas próprias associações ou altere minha lista.

Vermelho: *rubi, jaspe vermelho, ágata vermelha, rodonita, turmalina vermelha, granada*. Simboliza raiva ou outra emoção destrutiva, nascimento, mudança, sexo, paixão, rompimento, energia, confrontos.

Rosa: *turmalina rosa, quartzo rosa, calcita rosa, rodocrosita, kunzita*. Simboliza amor, amizade, paz, alegria, relacionamentos, família, intercâmbio.

Laranja: *cornalina, âmbar, citrino, olho de tigre*. Simboliza iluminação, poder pessoal, energia, crescimento.

Amarelo: *turmalina amarela, topázio, fluorita amarela*. Simboliza proteção, comunicação, viagem, movimento, troca. Crescimento, dinheiro, fundamento, saúde, fertilidade, transações comerciais.

Azul: *celestita, água-marinha, sodalita, quartzo azul, turmalina azul, turquesa, safira*. Simboliza paz, sono, cura, purificação, emoção, subconsciente.

Púrpura: *sugilita, lepidolita, ametista*. Simboliza espiritualidade, evolução, misticismo, expansão, reencarnação.

Como você interpreta essas pedras? Darei um exemplo.

Vamos supor que estou tentando descobrir o que está me deixando deprimido ultimamente. Estou deprimido há semanas e não consigo imaginar o motivo.

Então, silencio minha mente, pego meu saquinho de pedras e enfio a mão. Tiro uma pedra verde. A primeira coisa que me vem à mente é dinheiro. Querendo mais informações, tiro uma pedra vermelha. A palavra "energia" passa pela minha cabeça quando olho para ela. Dinheiro e energia. Depois pergunto sobre a depressão.

Será que estive deprimido esse tempo todo porque não estava ganhando dinheiro suficiente? Não, não é isso. Será que eu não tenho aplicado energia (trabalho) suficiente para ganhar o dinheiro que recebo? Pode ser. Analiso e parece correto.

Encontrei um possível motivo para minha depressão. E agora, o que eu faço?

Uso magia para alterar essa condição. Para transformar uma condição negativa em positiva. Trabalhar mais vai ajudar, contudo usar magia ajudará mais ainda. É possível que eu queira usar ou carregar comigo a pedra verde e a vermelha para me incentivarem a fazer o que eu deveria estar fazendo.

Entende?

Nem sempre é tão simples assim, mas tente. Trabalhe com esse ou qualquer outro sistema para receber suas dádivas.

Capítulo 10

Um Tarô de Pedras

O tarô – um livro místico, uma ferramenta de adivinhação, um maço de cartas. O tarô é, talvez, mais popular hoje em dia do que jamais foi, e novos modelos de baralho parecem surgir a cada semana. Colecioná-los é um belo *hobby*, apesar de caro.

O capítulo 9 descreveu algumas formas de adivinhação com o uso de pedras. Este capítulo descreve uma forma mais complexa, um verdadeiro "tarô de pedras".

Ele tem a forma mais conhecida de tarô, exceto que, em vez de usar cartas estampadas com símbolos para indicar as tendências futuras, as próprias pedras já contêm esse simbolismo. Assim, em vez de interpretar a situação estudando o simbolismo das cartas, o leitor estuda as pedras, relembrando o simbolismo delas.

Em geral, esse tipo de tarô de pedras se relaciona com os arcanos dos baralhos mais populares, como o Rider-Waite. Tentei eliminar a maioria das influências cristãs desse baralho, usando associações e nomes mais antigos para as cartas.

Em particular, esse sistema está simbolicamente associado à Wicca. A terceira carta de tarô, conhecida como a Imperatriz, aqui é chamada de Deusa. Olivina, peridoto, turquesa ou um de seus substitutos mágicos podem ser usados para essa carta. A Deusa representa o aspecto úmido, feminino, nutridor e criativo da força universal – as energias receptivas. A Deusa é uma das metades da orientação divina da Wicca, sendo a outra parte o Deus, aqui representado por um rubi e relacionado à carta do Imperador do baralho Rider-Waite.

Esse tarô de pedras consiste de 22 pedras. É melhor conseguir pedras que tenham aproximadamente o mesmo tamanho, mas obviamente você não vai hipotecar sua casa para comprar uma esmeralda enorme que combine com aquele quartzo rosa. As pedras polidas e lapidadas são as mais adequadas para esse uso, mas os cristais também servem.

Se você não concordar com algumas de minhas associações entre as pedras e as cartas, tudo bem. Crie seu próprio sistema.

Junte todas as 22 pedras (não será possível realizar essa magia sem o número completo) e limpe cada uma delas. Se não estiver familiarizado com algumas, trabalhe com elas conforme explicado no capítulo 7 até que conheça seu simbolismo e usos mágicos.

Depois que tiver feito isso, leia todas as informações sobre adivinhação contidas neste capítulo relativas a cada pedra. Harmonize-se com uma de cada vez, relacionando as informações com a própria pedra. É melhor não começar a trabalhar com esse tarô até que conheça cada pedra. Claro que você pode consultar os significados que incluí neste capítulo, mas essa forma de adivinhação seria a segunda opção. Durante uma leitura, apoiar-se na palavra escrita é limitador. Quando você olha para as pedras, o quadro geral que elas representam deveria disparar um lampejo em sua mente.

Ao olhar para cada pedra, lembre-se de seu significado divinatório. Observe a proximidade dela com as outras pedras, sua posição relativa. É essa informação que destrava sua consciência vidente, permitindo que você encontre uma resposta, esclareça uma situação ou determine possíveis eventos futuros.

Quando não estiver usando, guarde as pedras em um saquinho de tecido amarelo ou em algum outro recipiente apropriado. Exponha-as periodicamente à luz da Lua.

Para auxiliar o despertar da consciência clarividente, opte por pedras que influenciam a mediunidade, tais como lápis-lazúli, pedra da lua, azurita, etc. Se desejar, acenda velas amarelas e queime incenso de sândalo, enquanto joga as pedras. Aplique no corpo um óleo similar ao incenso, como tuberose, noz-moscada, capim-limão ou sândalo.

Haverá um momento em que o caminho e as mensagens das pedras irão mostrar-se e você será capaz de fazer a leitura de um tarô de pedras com facilidade. Pode funcionar!

Para referência rápida, aqui está uma lista dos principais arcanos e as pedras a eles associados. Lembre-se de que mudei os nomes de algumas dessas cartas, mas os significados básicos são semelhantes ao padrão. Incluí os nomes mais comuns entre parênteses:

0. O Louco
Ágata

1. O Xamã (O Mago)
Cristal de quartzo

2. A Papisa
Esmeralda, pérola

3. A Deusa (A Imperatriz)
Peridoto, olivina, turquesa

4. O Deus (O Imperador)
Rubi

5. O Chefe (O Hierofante)
Topázio

6. Os Enamorados
Quartzo rosa

7. Os Elementos (O Carro)
Estaurolita, pedra de cruz, quaisquer cristais gêmeos

8. A Força
Diamante, diamante de Herkimer, granada

9. O Sábio (O Eremita)
Safira, turmalina azul

10. A Espiral (A Roda da Fortuna)
Sardônica, opala preta

11. A Justiça
Cornalina

12. **Iniciação (O Enforcado)**
Berilo, água-marinha

13. **Mudança (A Morte)**
Âmbar

14. Temperança
Ametista

15. **Loucura (O Diabo)**
Diamante negro, turmalina negra, qualquer pedra negra quadrada

16. Poder Maior (Torre)
Ímã, lava

17. A Estrela
Meteorito, qualquer pedra estelar

18. A Lua
Pedra da lua, calcedônia

19. O Sol
Olho de tigre, pedra do sol

20. O Universo
Opala, kunzita

Citei algumas pedras recomendadas. Caso você não possa obtê-las, qualquer substituto mágico pode ser usado, contanto que ela não esteja representando outra carta. Por exemplo, embora o peridoto seja um substituto para a esmeralda, você não vai designá-la para ser a Sacerdotisa se já a designou para ser a Deusa.

Simbolismo e significados divinatórios do tarô de pedra

0. O Louco – *Ágata*. Energias dispersas, extravagância, desperdício, "cabeça nas nuvens", desequilíbrio, orgulho, ego, arrogância, vaidade.

1. O Xamã – *Cristal de quartzo*. Realização mágica, controle, poder, equilíbrio, centro, unificação do espiritual com o físico, autoconhecimento, profundidade, confiança.

2. A Papisa – *Esmeralda, pérola*. Espiritualidade, segredos, poder, religião da Terra, o desconhecido, mistérios femininos.

3. A Deusa – *Peridoto, olivina, turquesa*. Energia receptiva, mulheres, ciclos, fertilidade, criatividade, abundância, crescimento, amor, sexualidade feminina, dinheiro, mãe.

4. O Deus – *Rubi*. Energia projetiva, homens, compaixão, força, movimento, agressão, sexualidade masculina, pai.

5. **O Chefe** – *Topázio*. Autoridade, servidão, confinamento, abandono, conselho, patrão, honra, tecnologia.

6. **Os Enamorados** – *Quartzo rosa*. Amor, sexualidade, relacionamentos, amizade, dualidade, polaridade, simbiose, equilíbrio, beleza, família.

7. **Os Elementos** – *Estaurolita, pedra de cruz, quaisquer cristais gêmeos*. Poder da terra, natureza, autocontrole, triunfo, sucesso.

8. **Força** – *Diamante, diamante de Herkimer, granada*. Poder, coragem, força de vontade, atividade.

9. **O Sábio** – *Safira, turmalina azul*. Sabedoria, conhecimento, misticismo, iluminação.

10. **A Espiral** – *Sardônica, opala preta*. Transformação, fortuna, sorte, energias exteriores, fatores desconhecidos.

11. **A Justiça** – *Cornalina*. Direito, assuntos legais, dominação, submissão, autoridade exterior.

12. **Iniciação** – *Berilo, água-marinha*. Introspecção, julgamentos, testes, sacrifício.

13. **Mudança** – *Âmbar*. Renovação, começos, términos, assuntos de saúde, julgamentos.

14. **Temperança** – *Ametista*. Moderação, dispersão de energias, não focalizado, fechado, disciplinado, equilíbrio.

15. **Loucura** – *Diamante negro, turmalina negra, qualquer pedra negra quadrada*. Vícios, ilusão, piedade, depressão, violência, impertinência, falta de visão, controle pelos outros, submissão.

16. **Poder Maior** – *Ímã, lava*. Adversidade, acidente, desafio, opressão.

17. **A Estrela** – *Meteorito, qualquer pedra estelar*. Energias universais, astrologia, eclipse, viagem, esperança.

18. **A Lua** – *Pedra da lua, calcedônia*. Psiquismo, emoções, depressão, noite, inverno, sono, sonhos, marés, magnetismo, água.

19. O Sol – *Olho de tigre, pedra do sol*. Atividade mental, intelectualismo exacerbado, pensamento, visualização, contentamento, emprego, dia, verão, as estações.

20. Renascimento – *Fóssil*. Reversão, resultado, evolução, crescimento, vida, nascimento, lições.

21. Universo – *Opala, kunzita*. Intercâmbio, sucesso, movimento, colheita, visão geral, habilidade, plenitude, forças superiores.

É verdade que essas descrições são pouco esclarecedoras. Ao realizar qualquer tipo de adivinhação, o adivinho deve interpretar os símbolos, conforme explicado no último capítulo.

O modo mais simples de consultar esse tarô de pedras é visualizar sua pergunta ou a área em que sente que precisa de ajuda.

Enquanto visualiza, pegue seu saquinho de pedras e tire uma. Se estiver sintonizado e familiarizado com as pedras e se detiver o significado delas na mente, tudo o que precisará fazer é olhar para a pedra e dizer: "Sim, é claro".

Digamos que eu estivesse em dúvida se um projeto que estava considerando – um novo livro, por exemplo – valeria a pena o investimento de tempo e energia. Chamo meu editor e falo com ele sobre o assunto, consulto meus amigos, mas ainda continuo inseguro.

Então, pego meu saquinho de tarô de pedras e retiro uma delas. Lembre-se, não estou conscientemente tentando escolher uma pedra em particular. Mesmo se eu puder diferenciar as pedras com meus dedos, o que ocorre com frequência, simplesmente deixo que minha mente subconsciente escolha a pedra.

Sentindo as energias dela em minha mão, olho para baixo e vejo uma opala. Opala – o Universo, sucesso, movimento e plenitude são os significados que primeiro me vêm à mente. Resultados e habilidade também estão envolvidos aqui. Parece que o livro será um sucesso.

Se, ao fazer isso, você sentir que a primeira pedra não ofereceu um quadro completo, escolha outra e a interprete também.

Há métodos mais complicados de consultar o tarô de pedras. Eles são chamados de "layouts". Aqui, várias pedras são escolhidas e colocadas na mesma superfície plana em um determinado padrão. As pedras são então "lidas" em conjunto com esse padrão, na ordem adequada, e levando em consideração as outras pedras também.

Há infinitas variações de padrões que você pode usar. Aqui estão dois deles; sinta-se à vontade para criar os seus.

Três pedras

Este é o ideal para discernir a verdadeira natureza de um problema ou para uma visão geral de sua vida.

Coloque uma pedra ligeiramente à sua esquerda. Isso representa o passado recente que está influenciando a situação atual.

Ponha a segunda pedra à direita da primeira, representando sua situação atual.

A terceira pedra é colocada à direita da segunda, e significa o futuro.

Interprete as três pedras juntas.

O pentagrama

As pedras são colocadas mais ou menos no formato de um pentagrama ou de um pentágono (figura com cinco lados). Desenhe uma estrela de cinco pontas com uma ponta para cima e coloque as pedras nela.

Coloque a primeira pedra na ponta superior direita. Isso representa as emoções envolvidas no problema – as suas e as dos outros.

Coloque a segunda pedra na ponta inferior direita. Isso representa o conflito, o apego e as ilusões de que você pode não estar consciente. Também pode representar os obstáculos a ser superados.

A terceira pedra é colocada na ponta inferior esquerda. Ela representa o fundamento do problema, a base para sua existência, as forças que estão atuando por trás dele.

Coloque a quarta pedra na ponta superior esquerda. Essa pedra simboliza seus pensamentos atuais sobre o assunto. Tais pensamentos podem atrapalhar ou ajudar você.

A quinta pedra é colocada na ponta superior e significa o resultado final.

Leia as pedras na ordem em que as colocou no pentagrama. Você pode colocar todas as cinco antes de começar a interpretá-las ou trabalhar com cada uma delas separadamente.

Lembre-se de analisar cada pedra em conexão com as pedras vizinhas.

Claro que esta é meramente uma introdução à adivinhação com tarô de pedra. Na verdade, essa é uma área em que aqueles que trabalham nela podem desenvolver um sistema pessoal, exclusivo. Se tiver algum significado para você, faça uso dele. Se não gostar de minha versão das associações das pedras com o tarô, mude-a. Trabalhe a técnica todos os dias e descobrirá como o tarô de pedras é fascinante e funcional.

Capítulo 11

A Magia das Joias

As origens das joias repousam na magia. Isso não deveria ser surpresa para nós, pois, como já disse, quase todos os costumes humanos e as tecnologias que deles resultam vêm de antigas práticas e crenças mágicas.

Nos tempos antigos, as joias eram usadas provavelmente para afastar a negatividade, que era entendida como sendo "maus espíritos". As joias também eram colocadas em tumbas juntamente com outros objetos fúnebres para proteger os mortos.

Como percepção das energias aguçadas dentro de objetos, certas pedras e metais foram associados a vários órgãos e regiões do corpo e eram usados para proteger a saúde. Mais tarde, pedras, metais, chifres, penas, ossos e muitos outros materiais foram adotados por seu poder de atrair amor, saúde, dinheiro e outras necessidades da vida.

No início, os humanos reconheciam as energias presentes nos produtos naturais da terra e os utilizavam em seus ritos. Quando a mineração, a metalurgia e a lapidação tornaram-se mais sofisticadas, peças artificialmente criadas passaram a ser usadas em magia.

Quando o materialismo predominou sobre o naturalismo, as joias sobreviveram simplesmente como enfeites, ou, às vezes, como um tipo de distinção de classe social. Sim, as joias ainda desempenham certo papel cerimonial, como é o caso dos anéis de noivado e de casamento, mas até mesmo esses perderam suas mensagens mágicas originais.

Este capítulo é uma breve exposição dos poderes e simbolismos das joias, no passado e no presente. Até o século XIX, na maior parte do mundo ocidental a história das joias estava intimamente ligada à da magia, de forma que os livros antigos contêm enorme riqueza de informações sobre esse assunto fascinante. Aqueles que desejarem saber mais sobre a magia das joias podem consultar as obras sugeridas na bibliografia deste livro.

Anéis

O anel é um círculo, símbolo da eternidade, da união, da reencarnação e do Universo. Nos primeiros tempos, o anel era associado ao Sol e à Lua. Era um objeto de proteção, um guardião mágico que afastava a negatividade por meio de sua continuidade.

Os anéis ainda são aceitos como símbolos do casamento e de outras uniões, por causa de sua associação com a eternidade.

Antigamente, todos os anéis eram mágicos ou sagrados. Até mesmo os deuses e as deusas usavam anéis; a mitologia babilônica está repleta de histórias dos anéis de Shamash e Marduk. Os anéis também estavam relacionados ao zodíaco, ao yin/yang e ao "círculo mágico" dos magos e wiccanos. A história desse símbolo é complexa e fascinante.

No sentido mágico, usar um anel "une" você ao poder, à energia. Os materiais de que o anel é feito, mais sua visualização, determinam a natureza dessa energia.

O simbolismo de ligação do anel era tão onipresente e aceito que os anéis foram logo submetidos a restrições religiosas e mágicas. Sacerdotes de diversas divindades na Grécia antiga e em Roma tiravam seus anéis antes de entrar em um local sagrado. A alguns era proibido usá-los até o fim da vida. Durante uma viagem a um oráculo nos tempos antigos, não se comia carne, evitava-se o sexo e não se usavam anéis. Mesmo hoje, alguns xamãs retiram todos os nós e anéis de seus corpos antes de um ritual de magia.

Como os anéis retêm as energias do corpo, acreditava-se que eles inibiam a perda de poder. Em qualquer tipo de operação mágica em que o poder pessoal é enviado na direção da necessidade mágica, os anéis eram proibidos por causa da crença de que eles poderiam diminuir a eficiência da magia.

Em rituais espirituais, em que nos abrimos para seres superiores, acreditava-se que os anéis bloqueavam esse processo, graças, como já mencionamos, a suas qualidades restritivas.

Para a magia, a aparência ou o poder atrativo de um anel, e certamente o valor material, têm pouca importância. Os entalhes do anel, os metais e as pedras usadas são os únicos fatores envolvidos na escolha desses objetos para uso mágico.

Hoje em dia, os anéis mágicos podem ser comprados em lojas de ocultismo ou encomendados para fins de rituais específicos. Melhor ainda: muitos praticantes estão criando seus próprios anéis por meio da arte da lapidação artesanal.

O dedo em que se coloca o anel também tem significado mágico. O indicador ou dedo "anelar" era considerado especialmente poderoso. Ervas medicinais eram aplicadas no corpo com o dedo indicador para aumentar a eficiência da cura. Assim, deve-se usar nesse dedo os anéis com pedras que potencializem a cura do corpo.

O segundo dedo, ou dedo médio, que quando erguido indica um gesto de extremo insulto, sempre foi considerado um dedo inadequado para o uso de anéis.

Antigamente, esses objetos eram geralmente usados no terceiro dedo, pois acreditava-se que tinha um nervo ligado direto ao coração. Anéis de compromisso ainda são tradicionalmente usados nesse dedo.

Colares

O colar nada mais é que um grande anel usado ao redor do pescoço. Seus usos e poderes são quase os mesmos dos anéis. Como os colares são usados perto do coração, eles podem ser utilizados para trabalhar as emoções, ou para atrair ou fortalecer um amor.

Na religião Wicca contemporânea, as mulheres geralmente usam colares de pedras para representar a reencarnação e a Deusa.

Usar um colar de pedras aumenta as energias delas porque você está ligando a si mesmo aos poderes das pedras. Assim, o colar é muito mais poderoso do que qualquer pedra usada separadamente.

Brincos

No princípio, os brincos eram usados para proteger os ouvidos de doenças e de negatividade. Mais tarde tornaram-se símbolos de escravidão, porque os escravos usavam brincos que marcavam sua posição social inferior.

Os brincos são anéis usados nas orelhas. Furar as orelhas para poder usar brincos é uma prática bastante antiga.

Ao longo dos tempos, sempre houve o costume de se perfurar o corpo nas áreas mais variadas, por diversas razões, fossem elas magísticas ou religiosas. As orelhas podem ter sido as primeiras, juntamente com o nariz, que ainda hoje é perfurado para proteger e por razões estéticas.

Tal prática ainda é cercada de folclore. Os brincos que se colocam em orelhas furadas, em geral, são recomendados para fortalecer a vista fraca – e são especialmente eficientes se contiverem esmeraldas. Os brincos de ouro são frequentemente usados por aqueles que desejam curar dores de cabeça, embora muitos digam que é melhor usar um brinco de ouro e outro de prata para tal finalidade.

Capítulo 12

Encantamentos com Pedras

Assim como as pedras preciosas e semipreciosas tiveram uma infinidade de aplicações em magia, as pedras simples e comuns também foram bastante usadas. Para a magia, tudo na natureza é utilizável.

Nos capítulos anteriores, verificamos como as cores, a forma, a aparência, a transparência e outros fatores podem nos ajudar a conhecer os poderes dentro das pedras. Na parte dois deste livro, você encontrará artigos detalhados que discutem as principais pedras mágicas.

Este capítulo é um pouco diferente. Ele contém rituais menores que utilizam qualquer tipo de pedra que você possa encontrar em seu quintal, na praia ou em qualquer lugar da natureza.

Nesses encantamentos, use seus poderes de visualização e concentração para direcionar a energia através das pedras. Aqui, as pedras são geralmente pontos focais ou ferramentas que acrescentam poucos poderes próprios. Algumas delas são amuletos e talismãs de um certo tipo. A pilha feita com pedras, detalhada a seguir sob o título "Marco de Poder", retira poder da terra; entretanto, as rochas em si não são necessariamente poderosas.

Isso não quer dizer que um pedaço de granito composto de quartzo, hornablenda e vários outros minerais não contenha seus próprios poderes, mas tais pedras não possuem energia centralizada. Já que esse tipo de pedra é o mais necessário em magia, é mais difícil trabalhar com elas do que com ametista e cornalina. Portanto, nos trabalhos simples a seguir, não é preciso se preocupar com o tipo de pedra a ser usado. Pode ser qualquer uma que estiver à mão.

Proteção

As cinco pedrinhas

Vá até um riacho ou curso d'água. De pé, dentro da água e de costas para a nascente, apanhe cinco pedrinhas do leito do riacho. Enquanto faz isso, visualize sua necessidade de proteção.

Enquanto suas mãos se fecham sobre as pedrinhas, veja-as disseminando energias protetoras. Do mesmo modo que essas pedras são duras e sofreram a ação do tempo durante eras, assim elas fortalecerão seu escudo protetor.

Agora, carregue-as o tempo todo, como proteção. Se desejar, coloque-as em um saquinho ou em um pedaço de tecido dobrado, ou agregue-as a algum tipo de bijuteria.

Para atravessar um rio

Se precisar atravessar um rio perigoso ou desconhecido e quiser ter proteção extra a seu lado, fique de pé na frente do rio. Abaixe-se e apanhe três pedrinhas secas do chão.

Carregue-as consigo enquanto cruza o rio, visualizando-se de pé, do outro lado, molhado, mas seguro.

Depois de chegar do outro lado sem contratempos, coloque-as de volta no chão. Está terminado.

Proteção à noite

Caso se sinta em perigo ao caminhar no meio de árvores à noite, fortaleça-se apanhando uma pequena pedra. Segure-a em sua mão projetiva e visualize-se sendo a pedra – forte, resistente, protegido.

Assim que a visualização estiver completa, jogue a pedra aos pés de uma árvore. Você estará protegido.

Adivinhação

O poço

Em uma noite calma, leve uma grande pedra redonda até um poço. Silencie sua mente e concentre-se no assunto de sua consulta.

Então, deixe a pedra cair na água. Ouça o som que a água faz quando é atingida pela pedra – nos sons da água você poderá ouvir as respostas para suas perguntas. Caso contrário, repita esse ritual e deixe que os sons da água falem com sua mente subconsciente.

Preto e branco

Passe alguns minutos recolhendo pedras. Metade delas deve ser escura e a outra metade, de cores mais claras.

Coloque-as no chão à sua frente. Faça sua pergunta e segure-a na mente. Feche os olhos e misture as pedras a seu redor por alguns segundos; então, com sua mão esquerda ou receptiva, apanhe uma das pedras.

Se você apanhou uma pedra escura, a resposta é sim, ou os prospectos favoráveis. Se for clara, não.

Dinheiro e prosperidade

Pedra do Ano-Novo

Ao nascer do sol no dia de Ano-Novo, saia e encontre a maior pedra que puder carregar. Leve-a para sua casa e coloque-a em lugar de destaque.

Se mantiver a pedra em sua casa por um ano, ela será plena de prosperidade. Substitua a pedra a cada ano.

Sorte

Na cerca

Levante-se antes do sol na manhã do equinócio de primavera. Encontre várias pedras e coloque-as nos postes das cercas que fecham sua propriedade, visualizando você mesmo, sua casa e sua vida plenos de sorte.

E assim será.

Amor

Pedra do amor

Vá para um lugar que tenha muitas pedras desgastadas pela água. Procure uma pedra grande e chata, enquanto se visualiza sendo envolvido/a pelo companheiro/a perfeito/a.

Nessa rocha, desenhe com tinta vermelha dois corações entrelaçados. Continue a visualização em sua mente ao fazer isso.

Quando tiver terminado, enterre a pedra em algum lugar de terra não cultivada.

Poder

Marco de poder

Este trabalho é ideal para uso durante rituais ao ar livre. Realize-o antes de qualquer outra forma de magia com pedras.

Para dar mais força durante os trabalhos, escolha dez ou 20 pequenas pedras redondas, aproximadamente do mesmo tamanho. No chão, perto de onde realizará a magia, coloque a primeira pedra. Diga algo como:

Uma pedra de poder.

Repita com o restante das pedras formando, gradualmente, uma pilha triangular de pedras. Você está fazendo um marco.

Ao colocar a última pedra no topo da pilha, diga as palavras:

Um marco de poder.

Agora, faça qualquer tipo de magia. Tais marcos ou pilhas de pedras parecem ser coletores ou reservatórios de poder e podem ajudar sua magia.

Eles podem também ser colocados permanentemente dentro de sua casa ou, no caso dos marcos maiores, fora de sua propriedade para dar proteção.

Uma magia de atração com pedras

Apanhe qualquer pedra. Segure-a em sua mão projetiva por vários minutos, enquanto visualiza sua necessidade.

Inunde a pedra com sua necessidade e com seu envolvimento emocional com essa necessidade. Envie o poder de seu corpo para a pedra. Use a visualização para vê-lo fluindo para dentro da pedra.

Depois, atire a pedra em água corrente. Está terminado.

Um ritual de banimento com pedras

Para livrar-se de doenças, de maus hábitos, de sentimentos de mágoa e de quaisquer outras manifestações perturbadoras da vida, segure qualquer pedra em sua mão projetiva e visualize o problema em detalhes.

Visualize entrando na pedra aquela parte de você que precisa ser eliminada. Veja os problemas e suas causas saindo de você e indo para dentro da pedra.

Quando não conseguir mais enviar energia para ela, atire a pedra em fogo alto, atirando junto as causas e as manifestações de seus problemas. Afaste-se – a pedra pode explodir.

Se não houver fogo, ou se não desejar pedras explodindo, atire a pedra no ar ou na água, liberando, assim, a energia causadora do problema do seu corpo.

Está terminado.

PARTE DOIS
Magia e Tradições

Capítulo 13

As Pedras

Esta, a parte mais importante do livro, consiste em uma lista de mais de cem pedras e minerais dispostos em ordem alfabética. Há artigos que abrangem 78 pedras importantes, alguns dos quais contêm discussões mais curtas sobre várias outras.

Ao apresentar essas informações, usei o mesmo formato da *Cunningham's Encyclopedia of Magical Herbs*. É compacto, conveniente, mas abrangente.

Primeiro, fiz uma lista com os nomes mais comuns das pedras. Se conhecer uma pedra por um nome diferente daquele que usei aqui, verifique o índice remissivo para auxiliá-lo a localizar a pedra.

Em seguida, há outros nomes comuns pelos quais a pedra é conhecida; tais nomes são designados aqui com outros nomes.

O tipo de energia básica da pedra, projetiva ou receptiva, vem na sequência.

Seguem-se as correspondências elementais e planetárias (para saber mais com relação ao funcionamento dos planetas, leia a parte quatro).

Em seguida, são apresentadas todas as divindades associadas à pedra e os metais e ervas que estão de algum modo relacionadas a ela.

Os poderes básicos, mágicos, rituais, tradições e usos mágicos da pedra completam cada artigo.

Nem todos os artigos contêm todas essas informações. Espero que compreendam que algumas dessas informações são subjetivas. Poderia haver discussões infindáveis sobre o planeta "adequado" a que o cristal de quartzo deveria ser relacionado. Algumas das pedras que só recentemente passaram a ser usadas em magia, como lepidolita e kunzita, representam grandes desafios quando se faz a relação entre elas e os elementos e planetas.

As associações aqui são apenas sugestões. Usei esse formato básico para a maioria das pedras, mas há exceções. Por exemplo, a ágata, logo abaixo, é encontrada em numerosas cores, cada uma com suas energias tradicionais. Assim, essas informações serão encontradas dentro do corpo do artigo.

A parte dois pode ser lida do princípio ao fim, ou ser usada como referência quando descobrir novas pedras.

Que o poder das pedras possa enriquecer sua vida.

Ágata

Outros nomes: ágata vermelha, ágata de sangue
Energia: Diversas
Planeta: Mercúrio (falando-se genericamente)
Elemento: Diversos
Divindade: Esculápio
Poderes: força, coragem, longevidade, jardinagem, amor, cura, proteção

Usos mágicos: em geral, a ágata é utilizada em feitiços e rituais mágicos que envolvem força, bravura, longevidade e assim por diante.

Usada no braço ou carregada enquanto se pratica jardinagem, a ágata aumenta a fertilidade das plantas e assegura colheita farta ou flores viçosas. Acredita-se que a ágata musgo (veja a seguir) seja a ideal para esse fim. Ágatas energizadas podem ser "plantadas" no jardim para trazer abundância e ágatas pequenas podem ser penduradas nas árvores frutíferas para aumentar sua produção.

Na Roma antiga, uma ágata usada em um anel na mão, ou presa no braço esquerdo, assegurava o favor das divindades da vegetação, que tornariam a terra fértil.

Frequentemente utilizada em feitiços de amor, a ágata também serviria para evitar pensamentos invejosos e maldades; em outras palavras, para tornar seu usuário mais amável e agradável. A maldade não tem lugar na procura por amor.

É também usada como um amuleto da verdade, para assegurar que suas palavras sejam puras e também para assegurar favores de pessoas poderosas.

Joias de ágata são dadas a crianças para ser usadas como amuletos. Acredita-se que ela seja especialmente útil para evitar que as crianças caiam, mas também é usada por adultos para evitar tropeções.

Uma ágata mantida na boca alivia a sede. Já foi usada para baixar febres, quando colocada na testa; segurada na mão, a ágata acalma e refresca o corpo e ajuda a apaziguar problemas de saúde.

As ágatas eram talismãs populares no Oriente Médio para garantir a saúde do sangue. Na antiga Bretanha, elas eram usadas para proteger contra doenças da pele. Ágatas triangulares eram usadas na Síria para curar problemas intestinais.

Em cerimônias de magia, entalhavam-se figuras de serpentes ou de homens cavalgando serpentes em pedras de ágata. Usada como amuleto, essa joia mágica evitava picadas de cobra, de escorpião e de insetos.

Às vezes, essa pedra é usada em trabalhos e em rituais de proteção, e acreditava-se que era eficiente na proteção contra demônios e possessões demoníacas.

Na Ásia, as ágatas eram tão usadas quanto o cristal de quartzo é hoje em dia. Para determinar as tendências futuras, os videntes examinavam as marcas na pedra, permitindo que a mente profunda projetasse seus impulsos psíquicos na mente consciente.

As numerosas variedades de ágata – vagamente distinguíveis pela cor ou pelas marcas – são usadas em diversos tipos de magia.

Embora qualquer tipo de ágata possa servir para os usos mencionados, essas pedras, em particular, têm energias tradicionais. Aqui está uma lista das mais importantes e seus atributos mágicos:

Ágata listrada (energia: projetiva, elemento: fogo): Proteção. Restaura as energias do corpo e acalma as situações de estresse.

Ágata preta (energia: projetiva, elemento: fogo): outra pedra protetora. Use para ter coragem e para ser bem-sucedido em competições.

Ágata preta e branca (energia: receptiva, elemento: terra): usada como amuleto, essa pedra protege contra os perigos físicos.

Ágata laço azul (energia: receptiva, elemento: água): use ou carregue para ter paz e felicidade. Coloque-a na mão para acabar com o estresse. Ponha em sua mesa ou outro local em que trabalhe e olhe para ela quando estiver passando por situações estressantes. Em casa, uma ágata laço azul, cercada por velas azuis-claras acesas, acalma a atmosfera psíquica e reduz brigas domésticas ou familiares.

Ágata marrom ou bege (energia: projetiva, elemento: fogo): antigamente, era usada pelos guerreiros para obter vitórias em batalhas, é usada hoje para sucesso em qualquer empreitada. Era muito apreciada na Itália e na Pérsia como proteção contra olho gordo. É também um talismã para atrair riquezas.

Ágata verde (energia: receptiva, elemento: terra): usada para melhorar a saúde dos olhos. No passado, uma mulher que bebia a água em que fora mergulhado um anel de ágata ficava protegida contra a esterilidade.

Ágata musgo (energia: receptiva, elemento: terra): graças a suas marcas curiosas que sugerem musgos ou árvores, a ágata musgo é, essencialmente, o talismã dos jardineiros. É usada para aliviar torcicolos, devolver energia aos debilitados e para fins de cura. Também é usada em trabalhos que envolvem riqueza, felicidade e vida longa. Use essa pedra para fazer novos amigos e para descobrir um "tesouro".

Ágata vermelha (energia: projetiva, elemento: fogo): também conhecida como "ágata de sangue", era usada na Roma antiga para proteger contra picadas de inseto, curar o sangue e promover calma e paz.

Água-marinha

Energia: Receptiva
Planeta: Lua
Elemento: Água
Poderes: Psiquismo, paz, coragem, purificação

Tradição ritual/mágica: A água-marinha é a pedra das deusas do mar dos tempos passados. Colares feitos com contas de água-marinha foram encontrados nos túmulos de múmias egípcias.

Usos em magia: A água-marinha, variedade semipreciosa do berilo, tem cor verde azulada e tem sido associada ao mar e ao elemento água. Feiticeiras do mar limpam a pedra nas águas do mar à noite, à luz da lua cheia. Para fazer o mesmo estando longe da praia, encha um recipiente azul com água, acrescente sal marinho, e deixe a pedra nessa mistura da noite para o dia.

Em magia, essa bela pedra é usada ou carregada para intensificar o uso dos poderes psíquicos. Segurar um cristal da pedra, ou usar uma água-marinha facetada ao redor do pescoço, reduz o apego de nossa mente consciente à mente psíquica e permite que os impulsos psíquicos, sempre presentes, sejam ouvidos e penetrem em nossa consciência.

Como a água-marinha é uma pedra de limpeza e de purificação, pode ser usada ou esfregada no corpo como parte da purificação antes de atos de magia. Um cristal grande também pode ser usado ou colocado na banheira, durante banhos de limpeza.

Uma infusão suave de limpeza pode ser feita colocando-se uma água-marinha em um copo de água fresca. Exponha à lua cheia, ao ar livre, se possível, por três horas. Retire a pedra e beba o líquido para purificar e aumentar a consciência psíquica.

A água-marinha é usada como a ametista para amenizar e acalmar problemas emocionais. É uma pedra de paz, de alegria e de felicidade, principalmente nos relacionamentos. Trocada entre os amantes, ajuda a suavizar o caminho de seu relacionamento, e é o presente ideal para o noivo dar à noiva no dia do casamento.

Essa pedra é usada ou carregada como amuleto protetor enquanto se navega ou voa sobre a água. Quando estiver se preparando para uma viagem sobre o Oceano Pacífico, coloque uma água-marinha na mala para proteger de tempestades. Pescadores e marinheiros há muito fazem uso desse amuleto contra o perigo.

Essa pedra também é usada para aliviar a dor de dentes e para curar doenças do estômago, da garganta e da mandíbula.

Em magia, a água-marinha é usada para assegurar boa saúde, afastar o medo, para que a coragem por trás dele se manifeste e para deixar a mente alerta.

Alexandrita

Poderes: Sorte e amor

Usos mágicos: Esta gema é rara e muito cara. Quando usada, a alexandrita atrai sorte e um bom destino. Também é usada em trabalhos de amor.

Alume (pedra-ume)

Energia: Receptiva
Planeta: Saturno
Elemento: Terra
Poderes: Proteção

Usos mágicos: O alume era usado no Egito como amuleto protetor contra o mal. Na costa norte da África, o alume ainda é usado para essa finalidade. Um pedaço de alume é colocado dentro de casa para protegê-la, e pequenas quantidades desse mineral são costuradas ou colocadas nas tocas das crianças para protegê-las.

Amazonita

Nome popular: Pedra do Amazonas
Energia: Receptiva
Planeta: Urano
Elemento: Terra
Poderes: Jogos, sucesso

Usos mágicos: O feldspato verde azulado é usado por jogadores para atrair sorte com dinheiro. Também é usado por qualquer pessoa que estiver procurando uma oportunidade para assegurar o sucesso.

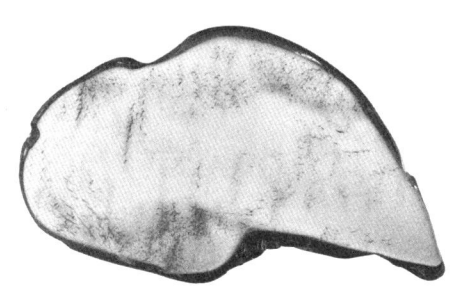

Âmbar

Energia: Projetiva
Planeta: Sol
Elementos: Fogo, Akasha
Divindade: a Grande Mãe
Poderes: Sorte, cura, força, proteção, beleza, amor

Tradição ritual/mágica: O âmbar é talvez a substância mais antiga usada pelos humanos como adorno. Contas e pingentes de âmbar foram encontrados em túmulos no norte de Europa datados de 8000 a.C.

Não se trata de uma pedra, mas de resinas fossilizadas de coníferas (como o pinheiro moderno) da época do Oligoceno. Também contém fragmentos ou espécies inteiras de insetos e de plantas que caíram acidentalmente na resina pegajosa, há milhões de anos.

O âmbar é, ao contrário das outras pedras, quente ao toque, além de conter fragmentos de insetos; por isso, pensava-se que ele tinha vida. Os antigos chineses visualizavam as almas dos tigres transmutando-se em âmbar depois que esses animais morriam. Nos tempos clássicos, ele era sagrado para os adoradores da Deusa Mãe, porque se acreditava que continha a verdadeira essência da vida – o princípio animador.

Por ser um fóssil, tem associações com o tempo, ciclos e longevidade. Do mesmo modo, por já ter sido uma substância viva, é relacionado a Akasha. Este é o "quinto elemento" que governa e que une terra, ar, fogo e água e, em certo sentido, é a fonte suprema de todos eles. Akasha simboliza também a vida e as coisas vivas (plantas, animais e seres humanos).

Em algumas reuniões de praticantes de Wicca, as mulheres – geralmente as altas sacerdotisas – usam colares formados alternadamente por contas de âmbar e de carvão fossilizado. Embora os motivos para se usar esses materiais variem, acredita-se que essas duas pedras representem o Deus e a Deusa, os princípios masculinos e femininos, as forças projetivas e receptivas da natureza. Elas também potencializam os efeitos mágicos.

Se esfregar o âmbar em um tecido de lã ou de seda, este fica eletricamente carregado. Seu antigo nome grego era *elektron*, de onde deriva a palavra moderna "eletricidade".

Todas essas propriedades e associações misteriosas fazem do âmbar uma das substâncias mágicas mais usadas e apreciadas de todos os tempos, em todos os lugares da Terra.

Usos mágicos: O âmbar, assim como algumas outras pedras, tem sido usado para quase todas as finalidades de magia e figura em incontáveis tipos de trabalhos e rituais mágicos.

Apesar de seu alto preço, o âmbar é um investimento seguro em magia. Só compre de um negociante confiável – muita coisa que se vende como âmbar é vidro, plástico ou "âmbar reconstituído". Insista em âmbar genuíno, não processado. E prepare-se para pagar bastante por ele.

Colares de âmbar são talvez as formas mais utilizadas em magia. Quando usados, esses colares trazem proteção. É um potente amuleto contra magia negativa e especialmente eficiente na proteção das crianças. Faça com que as crianças usem contas de âmbar para proteger a saúde delas, como fazem inúmeras pessoas em muitas partes do mundo. Ou coloque um pedaço no quarto da criança.

Em tempos antigos, quando o sexo era visto como uma atividade completamente natural e até sagrada, representações dos órgãos genitais eram comumente usadas em magia. O âmbar esculpido na forma de um falo era carregado como protetor mágico extremamente potente. Embora isso pareça produto do sistema patriarcal, tenho certeza de que também eram utilizadas imagens dos órgãos femininos, tão eficientes quanto as imagens dos masculinos; tais informações, entretanto, foram suprimidas.

Se sentir que está sendo submetido a energias negativas pesadas, acenda uma vela branca e coloque-a no chão ou assoalho. Sente-se na frente dela com a mão cheia de pequenas contas de âmbar e forme um círculo a seu redor com elas. Sente-se dentro do círculo, restaure sua energia e feche-se para toda e qualquer influência externa. Repita quando necessário.

Outro uso protetor do âmbar é colocar nove pequenas contas ou pedaços dentro de uma banheira com água bem quente. Mergulhe na banheira até que a água esfrie, retire o âmbar, enxugue-o e carregue ou use uma das contas até seu próximo banho.

Bruxas, curandeiras e xamãs usam contas de âmbar para fortalecer seus trabalhos, quer sejam feitos em cavernas, em vales desertos, em praias desertas ou dentro de círculos de força criados magicamente em dormitórios urbanos. Um grande pedaço de âmbar colocado no altar aumenta a eficiência de sua magia.

Âmbar é usado para ressaltar a beleza e a atração pessoal. Durante o Renascimento, dizia-se que usar âmbar aumentava o peso corporal; provavelmente porque a figura feminina gordinha estava então na moda. Não existem evidências em favor dessa alegação. O âmbar parece aumentar a beleza natural de seu usuário, atrair amigos e companheiros para os solitários e estimular a felicidade.

Há tempos o âmbar é considerado altamente sensual e magnético. É usado para atrair amor e para aumentar o prazer em atividades de lazer, inclusive sexuais. Pequenos pedaços de âmbar podem ser acrescidos a misturas de ervas preparadas para atrair amor, ou usados perto do coração para atrair um companheiro.

A fertilidade humana sempre foi uma preocupação nos tempos antigos, e ainda é, para muitos. As mulheres usavam imagens de peixes, de sapos e de coelhos entalhadas em âmbar para assegurar a concepção. Para combater a impotência e garantir a própria fertilidade, os homens usavam figuras de âmbar de leões, de cães e de dragões. Isso pode parecer estranho, mas tais imagens carregadas com energias mágicas podem funcionar. Não há limites em magia, exceto aquelas que impomos a nós mesmos.

O âmbar desempenha papel importante em nossa busca para livrar o corpo das doenças. Contas de âmbar são usadas em volta do pescoço como proteção à saúde geral e para aliviar ou curar problemas já existentes. Tem sido usado para evitar ou aliviar convulsões, surdez, insanidade, dor de garganta, dor de ouvido, dor de cabeça, dor de dentes, asma, reumatismo, problemas digestivos e quase todos os problemas internos. Uma bola de âmbar segurada na mão abaixa a febre.

Por ser sempre translúcido, ou até mesmo transparente, o âmbar é usado ou carregado para fortalecer os olhos. O mesmo ocorreria se você olhasse através dele.

O pó de âmbar era queimado durante o nascimento das crianças para assistir a mulher em trabalho de parto, e também era colocado no fogo para que a fumaça inalada estancasse sangramentos nasais.

Os usos mágicos do âmbar vão muito além das informações mencionadas. É usado para aumentar a força, para sucesso nos negócios ou para estimular o fluxo de dinheiro por meio da magia, e é bastante eficiente em trabalhos de atração. Esses incluem rituais destinados a atrair amor, dinheiro, poder e sucesso. Finalmente, um pouco de pó de âmbar acrescentado a qualquer incenso aumenta sua eficácia.

Ametista

Energia: Receptiva
Planetas: Júpiter, Netuno
Elemento: Água
Divindades: Baco, Dionísio, Diana

Poderes: Sonhos, superar o alcoolismo, cura, psiquismo, paz, amor, proteção contra ladrões, coragem, felicidade

Usos mágicos: Na magia antiga, era costume usar a ametista (um tipo de quartzo violeta) em forma triturada. Talvez seja hoje mais popular do que há 2 mil anos.

Colocadas embaixo do travesseiro, ou usadas na cama, as ametistas livram de insônia e de pesadelos. Proporcionam sono agradável e reparador, cura e até sonhos proféticos. Entretanto, também assegurará que seu usuário não durma demais.

A ametista é uma pedra espiritual e da paz, e não tem absolutamente nenhum efeito colateral negativo, ou associações com violência, raiva ou paixão. Quando as tensões da vida diária se acumularem dentro de você, segure uma ametista em sua mão esquerda (ou direita, se for canhoto). Deixe que as vibrações calmantes, tranquilizadoras, pacíficas e que combatem o estresse inundem você. Ou melhor ainda, use a ametista de modo que ela fique junto à pele, e poderá evitar estados emocionais bastante desgastantes.

A ametista acalma os medos, renova as esperanças, eleva o ânimo e estimula pensamentos sobre a realidade espiritual que existe por trás de nossas vidas. Se usada, livra-nos das culpas e do autoengano, ajuda a superar vícios como o alcoolismo, modera o excesso de indulgência e proporciona bom julgamento. A ametista acalma tempestades emocionais. Mesmo em situações de perigo potencial, a ametista virá em seu socorro.

A ametista também dá coragem a seu usuário e é importante amuleto para viajantes. Quando usada, protege contra ladrões, ferimentos, doenças e perigos.

Na magia da Renascença, ametistas encravadas com a imagem de um urso eram usadas como amuletos de proteção. Nos tempos greco-romanos, anéis de bronze com uma ametista incrustada eram usados como encantamentos contra o mal, e taças mágicas feitas de ametista acabavam com a tristeza e com os males de quem delas bebia.

Por ser uma pedra tão espiritual, a ametista é frequentemente usada durante a vidência ou colocada em altares simples de meditação. Um pedaço colocado diante de uma vela branca e de um incenso calmante de alta vibração, como o sândalo, induz a práticas meditativas.

Há banhos que favorecem a meditação e são poderosas experiências de harmonização. Deixe uma vela violeta acesa enquanto toma banho e circunde-a com ametistas para aguçar o "sexto sentido". Algumas pessoas guardam uma ametista junto às cartas de tarô, moedas ou pauzinhos de I-Ching, pedras de runa para aumentar as energias desses objetos. Naturalmente, também é usada durante atos psíquicos ou de adivinhação. Por ser também a pedra da sabedoria, permite que as informações recebidas por meio da mente psíquica sejam utilizadas de forma adequada.

Essa bela pedra também aguça a mente consciente, despertando o bom senso e aumentando os poderes mentais. É usada para melhorar a memória, aliviar dores de cabeça e manter os pensamentos em sintonia com os objetivos da vida.

Pedra do amor puro, verdadeiro, emocional, é geralmente trocada entre amantes para fortalecer o compromisso entre eles. Uma ametista, esculpida na forma de coração e incrustada na prata, era dada de presente por uma mulher a um homem para assegurar o amor entre eles.

A ametista é também uma das poucas pedras especificamente recomendadas para os homens atraírem as mulheres. Usada por um homem, a pedra atrai "boas mulheres" que o amem.

Também já foi considerada a pedra da castidade, mas tal atribuição data de séculos passados, quando o amor "platônico" era o ideal. Hoje, quando cada vez mais pessoas veem o sexo como um aspecto natural de uma relação monogâmica saudável, essa ideia está, aos poucos, desaparecendo da memória popular.

Pessoas envolvidas em processos judiciais usam a ametista para assegurar que a justiça prevaleça. Também é utilizada em trabalhos para atrair prosperidade, e acredita-se que traga sucesso para os negócios, talvez por ser regida por Júpiter.

Centenas de anos atrás, a ametista era umedecida com saliva e esfregada no rosto para acabar com espinhas e pele áspera. Hoje é usada em encantamentos para realçar a beleza.

Um encantamento com ametista: quando estiver emocionalmente abalado, ou sendo rejeitado pela pessoa amada, ou então em vias de terminar um relacionamento, estressado a ponto de sofrer sérios problemas mentais, ou em qualquer outra condição instável, vá para um lugar fora de casa, onde possa ficar a sós. Segure uma ametista em sua mão esquerda (ou direita, se for canhoto). Despeje todos os seus sentimentos, suas emoções, de dentro de seu corpo, pelos braços e da palma a mão até a pedra.

Sinta cada dor, cada miséria emocional, cada mágoa. Envie tudo para a pedra com toda a força de suas habilidades magnéticas inatas.

Quando a pedra estiver quase explodindo de tanta negatividade, atire-a com toda a força que puder reunir. Grite, uive, soluce enquanto grita, e atire a pedra para bem longe. Quando sua mão soltar a ametista, solte também a dor. Saiba que ela está na pedra, que está fora de você, que ela agora é alheia a você.

Acalme-se, respire fundo, medite por alguns momentos. Agradeça à terra por sua ajuda, depois volte-se e deixe seus problemas para trás.

A terra irá absorver o sofrimento, deixando a pedra livre, mas jamais traga aquela pedra de volta para sua vida outra vez.

Amianto

Energia: Projetiva
Planeta: Marte
Elemento: Fogo
Poder: Proteção

Tradição ritual/mágica: No passado, o amianto era visto como uma pedra mágica, já que queimava constantemente sem se consumir. Era utilizado para fazer pavios para os fogos perpétuos nos antigos templos gregos.

Usos mágicos: Surpreendentemente, o amianto nada mais é do que uma massa de perfeitos cristais prismáticos flexíveis, geralmente uma variedade de serpentina ou de crocidolita. Quando associado ao quartzo e polido, é conhecido como olho de tigre.

Hoje em dia, o uso irresponsável do amianto em indústrias e em construções é causador de inúmeras doenças sérias. No passado, entretanto, antes de começar a ser mal usado, o amianto servia como proteção contra magia negativa e olho gordo, que se acreditava ser uma forma intencional, ou não intencional, de ataque psíquico. O amianto não é mais recomendado para uso em magia.

Aventurina

Energia: Projetiva
Planeta: Mercúrio
Elemento: Ar
Poderes: Poderes mentais, visão, jogos de azar, dinheiro, paz, cura e sorte

Usos mágicos: Aventurina verde é usada para fortalecer a visão. Também é usada ou carregada próximo ao corpo, ou utilizada em magias destinadas a aumentar a percepção, estimular a criatividade e realçar a inteligência.

Essa pedra é utilizada em magias para jogos de azar e é um conhecido talismã dos jogadores. É usada também em magia para atrair dinheiro.

Sua cor verde nos diz que ela é útil para acalmar emoções conflituosas e para acelerar curas. A aventurina é essencialmente a pedra da sorte.

Azurita

Outros nomes: *Lapis linguis*, lápis língua
Energia: Receptiva
Planeta: Vênus
Elemento: Água
Poderes: Psiquismo, sonhos, adivinhação, cura

Usos mágicos: A azurita, bela pedra de um azul profundo, há muito vem sendo utilizada em magia para aumentar os poderes psíquicos. Coloque a pedra debaixo do travesseiro para ter sonhos proféticos. Segure ou use uma azurita quando estiver prevendo o futuro.

Uma simples magia de adivinhação: coloque um pedaço de azurita entre duas velas brancas em um quarto escuro. Acenda as velas. Segure a azurita em sua mão até que fique quente, esvaziando sua mente de pensamentos.

Feche os olhos até que sinta as energias suaves da azurita tocando lentamente sua mão. Então, abra seus olhos e olhe para a pedra, até que as respostas ou mensagens apareçam.

A azurita também é usada em magia de cura.

Berilo

Energia: Receptiva
Planeta: Lua
Elemento: Água
Divindades: Poseidon, Netuno, Tiamat, Mara
Ervas associadas: Algas marinhas (qualquer tipo)
Poderes: Psiquismo, cura, amor, energia, liberta de falatórios

Tradição ritual/mágica: Na Irlanda do século V, os videntes usavam bolas de berilo, conhecidas como *specularii*. O famoso cristal do dr. Dee, agora exposto no British Museum, era de berilo, não de cristal de quartzo transparente, como muitos pensam. Os povos antigos utilizavam o berilo em rituais para trazer chuva.

Usos mágicos: Outra pedra relacionada ao mar, como a água-marinha, o berilo é usado enquanto se está navegando para proteção contra tempestades. Essa pedra protege seu usuário contra afogamentos e também – por mais prosaico que seja – contra enjoos.

É também usado para prevenir a *fascinação*, ou o que hoje chamaríamos de manipulação psíquica deliberada ou ainda persuasão, como aquela praticada por evangélicos, políticos e alguns vendedores. Nesse sentido, é também carregado para tornar seu usuário inconquistável, para aliviar o medo e aumentar o otimismo e a felicidade.

No século XVI, os magos prescreviam o uso de berilo para vencer todos os debates e discussões e, ainda assim, tornar seu portador bem-educado e amigável, além de angariar compreensão.

O berilo vem sendo usado há muito tempo para aumentar a consciência psíquica. Por esse motivo é chamado de pedra do vidente. Esferas de berilo foram, em determinado momento, consideradas superiores às de cristal de quartzo. Era também talhado na forma de espelhos planos e redondos para fins de vidência. Estes, assim como as esferas, eram às vezes envoltos em tecido branco e olhados fixamente para propiciar o entorpecimento da mente consciente.

De acordo com antigas instruções mágicas, a vidência com berilo deveria ser praticada apenas durante a lua crescente, para se ter resultados mais potentes. Por causa de suas associações com a energia lunar, o berilo pode ser colocado no altar durante os rituais de lua cheia.

Quando tiver perdido alguma coisa, segure um berilo em sua mão e visualize o objeto. Então, silencie sua mente e deixe que as impressões psíquicas revelem o paradeiro do objeto.

Essa pedra também é trocada entre amantes para fortalecer o relacionamento, bem como usada ou carregada para atrair amor.

O berilo também é usado para enviar energia para o corpo, assim como para evitar falatórios. Durante o estudo, use o berilo para aumentar a retenção das informações por sua mente consciente.

No século XIII, a imagem de um sapo era entalhada em um pedaço de berilo, e a pedra era portada para reconciliar inimigos e atrair amizade.

Para fins de cura, o berilo era considerado excelente para aliviar problemas hepáticos, glândulas inchadas e doenças dos olhos.

Se sentir tontura, segure ou carregue um berilo e deixe que suas vibrações suaves e estruturadas o inundem.

Calcedônia

Energia: Receptiva
Planeta: Lua
Elemento: Água
Poderes: Paz, evita pesadelos, viagem, proteção, lactação, sorte

Usos mágicos: A calcedônia, assim como muitas outras pedras, afasta o medo, a histeria, a depressão, a doença mental e a tristeza. Promove calma e sentimentos de paz, quando usada ou segurada na mão.

No século XVI, era prescrita pelos magos para dissolver ilusões ou fantasias. Para essa finalidade, tinha de ser furada e pendurada no pescoço.

Usada na cama, ou colocada embaixo do travesseiro, a calcedônia afasta pesadelos, visões noturnas e o medo do escuro.

Por ser protetora, a calcedônia protege seu usuário em épocas de revoluções políticas e durante viagens. É usada também para evitar ataques psíquicos e magia negativa. Quando usada, a calcedônia previne acidentes.

Na magia da Renascença, a calcedônia era gravada com a figura de um homem com a mão direita levantada. Era, então, usada para obter sucesso em processos judiciais, assim como para saúde e segurança.

Também é usada em benefício da beleza, da força, da energia e do sucesso em todas as empreitadas; na Itália, as mães usam colares com contas de calcedônia branca para aumentar a lactação.

Usa-se ou leva-se juto ao corpo uma ponta de flecha feita de calcedônia para dar sorte.

Calcita

Nome popular: Espato de islândia
Energia: Diversas
Elemento: Diversos
Poderes: Espiritualidade, concentração, paz, amor, cura, purificação, dinheiro, proteção, energia

Usos mágicos: A calcita é um cristal transparente encontrado em grande variedade de cores, inclusive transparente, verde, rosa, laranja e azul.

Possui a qualidade ótica única de refração dupla. Desenhe uma linha com uma caneta em um pedaço de papel, depois coloque a calcita sobre a linha. Quando você olha através da pedra, a linha parecerá ser dupla.

Essa propriedade faz com que a calcita seja usada em magias para "dobrar o poder" do ritual. Ela é colocada no altar ou usada durante rituais mágicos para essa finalidade.

Calcita transparente (energia: receptiva, planeta: Lua, elemento: água). Essa pedra é usada em rituais de espiritualidade. É perfeita como foco de contemplação durante a meditação.

Calcita rosa (energia: receptiva, planeta: Vênus, elemento: água). Segurada na mão, a calcita rosa é calmante, centralizadora e liga à terra. Também é usada em rituais de amor.

Calcita azul (energia; receptiva, planeta: Vênus, elemento: água). Calcita azul é uma pedra curativa quando usada no corpo, ou colocada no meio da chama de velas violeta ou azuis. Durante cerimônias de purificação, carregue ou use calcita azul.

Calcita verde (energia: receptiva, planeta: Vênus, elemento: terra). Essa pedra atrai dinheiro e prosperidade para a casa, especialmente se cercada por velas verdes acesas todas as manhãs, por alguns minutos.

Calcita laranja (energia: projetiva, planeta: Sol, elemento: fogo). A calcita laranja é uma pedra protetora e empresta sua energia ao corpo, quando segurada.

Carvão

Energia: Receptiva
Planeta: Saturno
Elemento: Terra
Poder: Dinheiro

Usos mágicos: O carvão, a substância mais comum usada para aquecer milhões de lares, é considerado por muitos como excelente para atrair dinheiro, e por isso é carregado no bolso e colocado junto com o dinheiro.

Apostadores da bolsa de valores de Londres geralmente carregam carvão consigo para dar sorte.

Carvão fossilizado

Outros nomes: Âmbar das bruxas, âmbar preto
Energia: Receptiva
Planeta: Saturno
Elementos: Terra, Akasha
Divindade: Cibele
Ervas associadas: Lavanda, sálvia
Poderes: Proteção, evita pesadelos, sorte, vidência, saúde

Tradição ritual/mágica: Trata-se de madeira fossilizada há milhões de anos. É uma pedra preta com aparência de vidro. Por ser preta, é associada ao elemento terra, mas, graças a suas origens orgânicas, também é relacionada ao Akasha.

Partilha com o âmbar a propriedade de tornar-se eletricamente carregada quando esfregada. Em virtude da natureza misteriosa e de suas propriedades elétricas, essa pedra sempre foi considerada mágica.

Quando utilizado junto ao corpo de forma contínua, acredita-se que o carvão fossilizado absorva parte da "alma" de seu usuário. Tal propriedade existe no caso de outras pedras, mas, com relação ao carvão fossilizado, esse fator é duplamente poderoso. Por isso, tais pedras eram guardadas cuidadosamente, já que em mãos erradas poderiam ser usadas para manipular seu usuário original.

Os gregos antigos, adoradores de Cibele, a deusa do crescimento e das plantas, usavam carvão fossilizado para obter favores dela. Os jardineiros de hoje também usam o carvão fossilizado para fazer com que as plantas floresçam.

O carvão fossilizado foi encontrado juntamente com o âmbar, com que é magicamente "casado", em cemitérios pré-históricos. Era colocado ali provavelmente para trazer boa sorte para o morto, ou para proteger os ossos.

As altas sacerdotisas da Wicca de hoje, especialmente aquelas que seguem os padrões rituais básicos popularizados por Gerald Gardner, sempre usam colares com contas alternadas de âmbar e de carvão fossilizado.

Trata-se de uma pedra maravilhosa. Mas cuidado – muito do que se vende como carvão fossilizado é, na verdade, vidro preto. Adquira apenas de fontes confiáveis.

Usos mágicos: Por ser receptiva, essa pedra absorve energias, especialmente a negatividade. Pode-se portar consigo ou usar contas dessa pedra colocadas ao lado de velas brancas durante rituais de proteção. É um ótimo protetor para o lar, quando colocada dentro de casa.

Bruxas do mar e esposas de pescadores na antiga Bretanha apreciavam o carvão fossilizado como poderoso protetor mágico. Elas o queimavam dentro de casa como um incenso para proteger os maridos ausentes.

Um pequeno pedaço de carvão fossilizado é, às vezes, colocado sobre o estômago de um recém-nascido para protegê-lo. É também um amuleto especial para viajantes, usado para afastar os perigos enquanto se estiver nas estradas ou em países estrangeiros. Durante a Idade

Média, o carvão fossilizado era gravado com imagens de besouros e usado como proteção.

Para proteger-se de pesadelos e assegurar uma boa noite de sono, coloque um pedaço de carvão fossilizado embaixo do travesseiro ou pendure na cabeceira da cama.

Essa pedra também fortalece a consciência psíquica. Coloque pequenas raspas da substância em uma garrafa de vidro transparente. Encha de água. Coloque no sol por várias horas, até que a água fique aquecida. Coe e beba esse líquido antes de tentar entrar em contato com sua mente psíquica.

Pequenas quantidades de carvão fossilizado em pó também podem ser acrescentadas a incensos do tipo psíquico. Ou então despeje carvão fossilizado em pó em um bloco de carvão em brasa, acalme sua mente e pratique vidência naquela fumaça.

Há um tipo de vidência bem antigo que faz uso do carvão fossilizado e é bastante simples, caso você disponha de um machado grande e uma lareira, ou churrasqueira. Coloque o machado no fogo até que fique bem quente e vermelho. Energize ou encante o carvão fossilizado. Mentalize uma pergunta, ou visualize um possível empreendimento futuro que lhe causa preocupação.

Quando já estiver aquecido, tire o machado do fogo e jogue carvão fossilizado sobre ele. Se o carvão fossilizado queimar, a resposta será sim, ou o resultado da ação será favorável. Se não, o machado e a pedra determinaram que o contrário é verdadeiro.

Também é utilizado para magias de saúde e de cura, e para manter o fluxo de energia adequado dentro do corpo para evitar doenças. O carvão fossilizado é combinado com velas azuis durante fogueiras de cura, e também pode ser defumado com lavanda e sálvia para promover a saúde.

Celestita

Energia: Receptiva
Planetas: Vênus e Netuno
Elemento: Água
Poderes: Compaixão, eloquência, cura

Usos mágicos: Celestita é usada ou carregada para dar eloquência e, desse modo, promover a compaixão pela terra e pelas criaturas.

Também é usada para aliviar dores de cabeça e tensões do corpo, já que remove o estresse da parte física.

Citrino

Energia: Projetiva
Planeta: Sol
Elemento: Fogo
Poderes: Combate pesadelos, proteção, psiquismo

Usos mágicos: O citrino é usado à noite para afastar o medo, evitar pesadelos e assegurar uma boa noite de sono.
Esse tipo de quartzo também é usado para facilitar a consciência psíquica.

Coral

Energia: Receptiva
Planeta: Vênus
Elemento: Água, Akasha
Divindades: Ísis, Vênus, a Grande Mãe
Metais associados: Prata, cobre
Poderes: Cura, regular a menstruação, agricultura, proteção, paz, sabedoria

Tradição ritual/ mágica: O coral desempenhou importante papel em ritos religiosos e mágicos em todas as ilhas do Pacífico. É frequentemente colocado em túmulos para proteger os mortos. Os próprios templos, às vezes, eram construídos de rochas de lava e coral.

No Mediterrâneo pensava-se que o coral, assim como o âmbar, contivesse a "essência da vida" da Deusa Mãe, que habitava no fundo do mar em uma "árvore" de coral.

Existe uma crença hindu segundo a qual o oceano é a morada das almas depois da morte. Por isso, o coral é considerado um poderoso amuleto para os vivos. Também era colocado no corpo dos mortos para evitar que os "maus espíritos" o ocupassem. Na antiga mitologia nórdica, o coral é outra vez associado com a divindade.

Como o coral não é uma pedra nem uma substância vegetal, mas os restos de esqueletos de criaturas marítimas, muitos fazem objeção a seu uso em magia. Já foi o tempo em que tínhamos de sacrificar coisas vivas (nesse caso o coral) para fazer magia.

Não compreendo, porém, como apanhar um pedaço de coral que foi lançado pelo mar em uma praia da Flórida, do Havaí ou da Itália pode prejudicar alguma coisa. A colheita comercial de corais é outra coisa. Cabe a você decidir se deseja usar coral comercializado em magia.

Usos mágicos: Certo dia quente e calmo no Havaí, eu caminhava ao longo de uma praia deserta. As águas azuis brilhavam e gentilmente batiam na areia de grãos de coral. Então, para minha surpresa e alegria, um pequeno pedaço de coral branco foi jogado praticamente a meus pés. O coral havia sido perfurado naturalmente pela água. Agradeci e apanhei-o, reconhecendo-o como um objeto mágico.

Nos tempos antigos, o coral vermelho era um presente das divindades. Era encontrado nas praias do mundo todo, mas principalmente na Itália. Para que fossem poderosos em magia, os povos antigos usavam corais que não haviam sido trabalhados pelas mãos do homem, ou seja, que não houvessem sido polidos, lixados, cortados ou esculpidos. Como se acreditava que o coral tivesse vida (como já teve um dia), as pessoas achavam que qualquer processo feito nele "mataria" as energias mágicas ali contidas.

Hoje em dia sabe-se que isso não é verdade, mas há uma crença que permanece – se um pedaço de coral usado em magia se quebra por qualquer razão, ele perdeu seu poder e deve-se obter outra pedra. Devolva as peças quebradas ao oceano.

Coral vem de duas palavras gregas e significa "filha do mar". As mulheres italianas usavam-no perto da pelve para regular o fluxo menstrual, reconhecendo a ligação entre o coral, o mar, a Lua e seus ciclos. Acreditava-se que o coral, geralmente vermelho, ficasse mais claro durante o fluxo e mais brilhante no final. Pode ter sido usado para prever esses períodos. O coral usado para esses fins era cuidadosamente escondido das vistas dos homens porque, se eles o vissem, ele perderia todo o seu poder mágico.

Hoje em dia o coral ainda é utilizado na magia. Quando usado de modo a ficar totalmente visível, é um amuleto de proteção contra "olho gordo", demônios, fúrias, súcubos, íncubos e fantasmas, entre outros males. Protege de acidentes, atos de violência, veneno, roubo, possessão e esterilidade, especialmente a feminina.

Usa-se o coral também para efetuar mudanças internas. Ele afasta insensatez, nervosismo, medo, depressão, pensamentos assassinos, pânicos e pesadelos. Confere razão, prudência, coragem e sabedoria a seu portador. Colocado debaixo do travesseiro, proporciona sono pacífico, afastando os sonhos perturbadores.

É utilizado há milhares de anos em magias relacionadas a crianças. Dado como presente aos pequenos, assegura sua saúde futura.

Os bebês usam um pingente de coral ou contas de coral para aliviar a dor do nascimento dos dentes. Também é usado em chocalhos para proteger a criança magicamente.

Havia um uso bastante popular do coral no antigo Egito e na Grécia. Coral em pó era misturado com as sementes e semeado ou espalhado em campos recém-plantados. Isso protegeria as plantações das inclemências do tempo e dos insetos. Era também pendurado em árvores frutíferas para aumentar a produção.

Na cura, o coral vermelho era usado para curar indigestão, dores no trato digestivo, problemas dos olhos e para estancar sangramentos. Além disso, o coral vermelho tinha o poder de, empalidecendo a própria cor, alertar seu usuário quanto a problemas de saúde.

O coral é usado para atrair sorte para a casa. Pegue um pedaço de coral e toque cada porta, janela e parede da casa com ele, movimentando-o na direção do relógio. Depois, deixe-o em um lugar de evidência para que ele realize sua magia.

Também possui associações com o amor. Anéis de coral eram usados pelas mulheres na Roma antiga para atrair os homens. No século XVI, o coral em pó era usado no incenso de Vênus e velas vermelhas ou rosas eram riscadas com pedaços de coral e queimadas para atrair amor.

Por causa de suas associações com o mar, o coral também é usado para proteger na navegação ou em viagens marítimas, evitando que barcos naufragassem. Às vezes é usado para livrar pessoas dos ataques de tubarão.

Cornalina

Energia: Projetiva
Planeta: Sol
Elemento: Fogo
Poderes: Proteção, paz, eloquência, cura, coragem, energia sexual

Usos mágicos: A cornalina é uma forma vermelha de calcedônia que no antigo Egito era usada na mão, para aplacar a raiva, o ciúme, a inveja e o ódio. Ainda é usada para promover a paz e a harmonia e para acabar com a depressão.

Essa pedra é usada pelos tímidos para reforçar-lhes a coragem. Pedra excelente de se ter consigo para falar em público, um dos maiores medos no mundo moderno. A cornalina fortalece a voz, proporciona autoconfiança e confere eloquência ao orador. Geralmente é usada no pescoço ou em um anel para esse fim.

A cornalina também é usada para combater as dúvidas e os pensamentos negativos e pode ser usada em magias relacionadas a esses problemas. Também proporciona paciência.

Ela é carregada para evitar que os outros leiam seus pensamentos. Na magia da Renascença, a cornalina era entalhada com a figura de uma espada ou com a imagem de um guerreiro. Então, esse amuleto mágico era colocado em casa para proteger de raios e tempestades ou carregado como proteção contra encantamentos.

Era também usada para prevenir doenças de pele, insanidade, sangramentos nasais e todas as doenças sanguíneas, além de induzir à boa saúde.

A cornalina fortalece a visão astral e é colocada na cama para evitar pesadelos.

Também é usada para estimular os impulsos sexuais.

Crisocola

Energia: Receptiva
Planeta: Vênus
Elemento: Água
Poderes: Paz, sabedoria, amor

Usos mágicos: A crisocola costumava ser segurada na mão para afastar medos irracionais e ilusões. É uma pedra de paz e acalma as emoções.

Quando usada, a pedra proporciona o poder do discernimento e aumenta a sabedoria. Essa pedra verde também é usada em magias para atrair amor.

Um ritual de amor simples com essa pedra: em seu altar de pedra, coloque um pedaço de crisocola em sua mão. Visualize a pedra atraindo um amor para você. Coloque a pedra numa xícara vermelha ou rosa, com água pela metade. Coloque nela três rosas vermelhas. Coloque outras rosas frescas na água quando as primeiras murcharem. O amor entrará em sua vida.

Crisoprásio

Energia: Receptiva
Planeta: Vênus
Elemento: Terra
Divindade: Vesta
Poderes: Felicidade, sorte, sucesso, amizade, proteção, cura, dinheiro

As Pedras 109

Usos mágicos: O crisoprásio, uma variedade verde maçã de calcedônia, é usado para elevar as emoções e para banir ambição, inveja, egoísmo, tensão e estresse. É uma pedra reconfortante e serve para evitar pesadelos.

Considerado pedra da sorte, o crisoprásio é usado para eloquência, ter sucesso nos empreendimentos e atrair amigos.

No século XIII, o crisoprásio virava amuleto mágico de proteção, ao ser etalhado com a imagem de um búfalo antes de seu uso. Hoje, é utilizado como escudo geral contra negatividade.

Os poderes de cura do crisoprásio incluem o fortalecimento dos olhos, o fluxo sanguíneo e o alívio das dores do reumatismo.

Para atrair dinheiro, carregue um pequeno pedaço com você o tempo todo.

Cristal de quartzo

Outros nomes: Cristal, espelho de bruxa, pedra estrela, íris (por causa do efeito prismático dos cristais de quartzo), Zaztun (maia)
Energias: Projetiva, receptiva
Planetas: Sol, Lua
Elementos: Fogo, água
Divindade: A Grande Mãe
Metais associados: Prata, cobre, ouro
Ervas associadas: Copal, artemísia, chicória, sálvia, erva-doce americana
Poderes: Proteção, cura, psiquismo, poder, lactação

Tradição ritual/mágica: Considerados pelos antigos como gelo ou água solidificada, os cristais são usados em sistemas xamânicos ou religiosos há milhares de anos. Por causa de sua conexão com a água, têm sido utilizados para criar chuva de forma mágica em muitas partes do Pacífico, inclusive na Austrália e na Nova Guiné.

Tradicionalmente, o quartzo era utilizado nos ritos do Mistérios Eleusinos para produzir o fogo sagrado por meio da concentração do calor do sol, para acender lascas de madeira. Digo "tradicionalmente" porque não sabemos muito sobre esses antigos rituais secretos.

O uso do quartzo era comum em rituais e em magia entre os índios norte-americanos, e foram encontrados bastões cerimoniais com pontas de cristal de quartzo no sul da Califórnia.

Os xamãs cherokee, reconhecendo o poder do cristal, mantinham-no envolto em couro quando não estava sendo usado. Era periodicamente "alimentado" com sangue de corsa. É um componente bastante comum das bolsas medicinais ou de poder dos xamãs.

Os praticantes contemporâneos de Wicca usam quartzo, geralmente combinado com prata, durante os rituais de lua cheia. Como também é símbolo da Deusa, bolas de cristal de quartzo são colocadas no altar durante os rituais lunares. Sua temperatura gelada representa o mar.

Dois cristais de quartzo também podem ser colocados em altares Wicca para representar o Deus e a Deusa, os dois poderes supremos criativos do Universo. Alguns colocam um cristal natural para representar o Deus e uma esfera para a Deusa.

Em termos xamânicos, o cristal de quartzo é o xamã e o xamã é o cristal. Não há diferença entre os dois. Assim, ele é a ferramenta perfeita para o xamã e é utilizada em rituais no mundo todo.

Misticamente, o cristal de quartzo é símbolo do espírito e do intelecto dos seres humanos.

Usos mágicos: Os cristais de quartzo são muito populares atualmente. Seu uso em curas, alteração de consciência e magia ligou-os ao espírito da Nova Era. Foram por muito tempo ignorados pelas pessoas na maior parte do mundo, exceto pelas aplicações industriais; hoje, entretanto, os cristais de quartzo constituem enorme negócio comercial.

Embora tenham sido oferecidas diretrizes gerais para a limpeza das pedras no capítulo 7 deste livro, há algumas ervas usadas especificamente para o quartzo.

A sálvia (*Salvia officinalis*) e a erva-doce americana (*Hierochloe odorata*), duas ervas curativas e purificadoras da América do Norte, estão associadas aos cristais de quartzo e, no xamanismo, são as contrapartes da pedra. Faça uma infusão (chá) com qualquer uma dessas ervas, acrescentando duas colheres de sopa da erva em água quase fervendo. Espere esfriar e acrescente os cristais recém-adquiridos ou carregados negativamente (isto é, uma pedra que foi usada para remover uma doença) à infusão. Deixe descansar por pelo menos um dia, depois seque e segure em sua mão receptiva. Se a pedra parecer "limpa", estará pronta para a magia. Caso contrário, coloque de volta na infusão até que o trabalho esteja completo.

O cristal de quartzo transparente, ou "branco", talvez seja o tipo geralmente mais conhecido pelo público por estimular o psiquismo. Embora a maioria das bolas de cristal vendidas hoje em dia sejam de plástico ou de vidro, bolas de cristal verdadeiras também estão disponíveis, mas a preços exorbitantes. Embora valham seu custo para aqueles que podem se permitir o investimento, os cristais não precisam ser trabalhados por mãos humanas para ser magicamente eficientes, nem precisam ser puros e livres de inclusões.

De fato, muitos videntes de bolas de cristal utilizam as inclusões, véus e pequenos prismas dentro dos cristais para entrar em transe. Simplesmente olhar para qualquer ponto de um cristal, um cristal verdadeiro, já induz ao psiquismo.

Na Renascença, a maioria das pedras de vidência, ou bolas de cristal, era feita de berilo, não de quartzo transparente. Entretanto, o cristal era usado em operações mágicas. Às vezes uma metade era coberta com ouro puro e colocada em uma base de marfim ou de ébano. Era usado como um instrumento de contemplação para despertar a mente psíquica.

Na magia da Europa do século XIX, a bola de cristal era colocada debaixo do travesseiro para criar compatibilidade com o vidente, aumentando assim sua eficiência.

Uma bola de cristal pode ser exposta à luz da lua cheia para aumentar seus poderes. Antes da vidência, muitas vezes bebe-se um chá de chicória ou de artemísia e esfrega-se artemísia fresca no cristal.

Pendure numa corrente de prata um cristal de quartzo com a ponta para baixo e pronto: você acabou de produzir um fabuloso pêndulo. Essa é uma ferramenta que liga o braço que a segura com a mente psíquica ou intuitiva. Embora haja muitos sistemas diferentes de determinar as respostas do pêndulo por intermédio de seu balanço, aqui estão os quatro movimentos mais comuns: círculo, no sentido horário ou anti-horário: sim, ou condições favoráveis; de um lado para outro: não, ou desfavorável. Ou então, um círculo no sentido horário: sim, ou favorável; círculo no sentido anti-horário: não, ou desfavorável; de um lado para o outro: sem resposta.

Pergunte ao cristal como ele responderá às suas perguntas e trabalhe com ele. É uma poderosa ferramenta da mente subconsciente.

Em Yucatan, uma classe especial de videntes, normalmente consultados para verificar a "vontade dos deuses" e a natureza espiritual das doenças, utiliza o cristal de quartzo para adivinhação.

A esfera é limpa ao ser passada através da fumaça de copal queimado (o copal é uma resina de cola colhida no México e na América Central para fins mágicos e religiosos). Além disso, ou em vez dessa prática, o cristal é mergulhado em uma vasilha cheia de rum para limpá-la e despertar seus poderes. O vidente, então, estuda a chama da vela refletida dentro do cristal para determinar a natureza do problema ou da doença.

Usar ou portar uma pedrinha de cristal de quartzo aumenta o psiquismo. Colocada debaixo do travesseiro, oferece impulsos psíquicos na forma de sonhos, que são a linguagem da mente consciente profunda. Também proporciona sono tranquilo.

Pedras de cristais de quartzo desbastadas ou polidas, inscritas ou pintadas com runas, e usadas como pedras para vidência, além dos objetos de vidência como o tarô, são geralmente guardados junto ao quartzo.

Conhecidas antigamente como "pedras das estrelas" na antiga Bretanha, as pedras de quartzo eram usadas em magia popular. Aqui está um exemplo: junte nove pedrinhas de quartzo retiradas de um riacho. Ferva-as em um litro de água do mesmo riacho. Deixe esfriar naturalmente. Beba uma pequena porção desse líquido a cada manhã durante nove dias para ajudar a curar doenças.

Técnica similar envolve colocar um cristal de quartzo em um copo transparente com água mineral fresca. Exponha o copo ao sol por um dia, depois beba a água para melhorar continuamente sua saúde.

Também se usa cristal de quartzo para aliviar dor de cabeça, e um pequeno cristal é colocado contra a gengiva para aliviar a dor de dentes até que se encontre tratamento odontológico. Pode-se segurá-lo na mão para baixar febres.

Nas Ilhas Britânicas, bolas de cristal de uma polegada de diâmetro eram incrustadas em prata, e tais objetos eram usados como amuletos contra doenças. Em sessões xamânicas de cura, assim como em tratamentos domésticos, esfregam-se cristais na parte afetada do corpo para remover a doença. Quando a sessão termina, o cristal é limpo antes de ser usado novamente.

O cristal pode ser colocado em uma parte dolorida do corpo e ali ser deixado para reequilibrar as condições físicas, e também para remover bloqueios de energia, que muitos dizem ser a causa das doenças.

Apesar de caras, xícaras de cristal feitas de quartzo eram consideradas ideais para se beber chás medicinais. Um pequeno cristal de quartzo ou uma pedra polida pode ser colocada com segurança em qualquer infusão ou tintura para aumentar sua eficiência.

No mundo todo, o cristal era considerado uma pedra de "leite". Era colocado nos bebês ou usado pelas mães para aumentar a lactação e assegurar a assimilação desse alimento básico.

Para fins protetores, essa pedra é usada, carregada ou colocada em casa. No século XIV, entalhava-se no cristal de quartzo a imagem de um homem com armadura, segurando um arco e uma flecha. A pedra protegeria seu usuário e o lugar do corpo em que estava localizada.

O cristal de quartzo tem uso potencializador nos rituais mágicos, em que é usado ou colocado no altar com essa finalidade. Bastões de cristal, ou que contenham cristal, também são bastante populares atualmente.

Pode-se usar 13 cristais (representando o ano lunar) ou 21 cristais (13 luas cheias mais as oito ocasiões rituais da Wicca) para construir fisicamente o círculo mágico em que são realizados os rituais Wicca. Em caso de rituais religiosos, meditação ou magia em geral, coloque os cristais com a ponta para o lado de dentro do círculo; em caso de magia defensiva ou de proteção, coloque-os com a ponta para fora. Também podem ser usados cascalhos ou pedras desgastadas e polidas.

Você também pode montar com facilidade um "jardim de cristal", se tiver vários cristais. Encha um grande vaso de madeira ou de cerâmica branca com areia branca. Então, coloque os cristais na areia com as pontas para cima. Não há mais nenhuma regra para a colocação dos cristais, portanto use sua imaginação.

Você pode desejar traçar um pentagrama (uma estrela de cinco pontas) na areia usando um cristal, depois coloque um em cada ponta e um no centro. Isso confere proteção mágica.

Praticantes de magia que utilizam o poder dos elementos podem usar cinco pedras, quatro alinhadas com as direções (que se relacionam com os elementos) e o quinto no centro, representando Akasha, ou o quinto elemento. Isso fortalecerá sua magia elemental.

Os cristais podem ser colocados em formação de espiral para uso como ponto focal durante a meditação. A espiral simboliza a evolução espiritual e a reencarnação.

O jardim de cristal é um lugar de poder, um altar para magia com pedras, um instrumento meditativo e um local protetor para a casa.

Na magia de imagem realizada com sal, terra ou areia úmida na praia (veja Poder da Terra), runas ou imagens podem ser traçadas com a ponta de um cristal de quartzo. Enquanto desenha, envie energia para a imagem através do cristal.

De todas as formas coloridas de quartzo, muitas (ágata, ametista, cornalina, calcedônia, citrino, jaspe, ônix, sardônica e outras) são tratadas separadamente neste livro, mas aquelas mais comumente conhecidas como quartzo são discutidas aqui. **Quartzo azul** (energia: receptiva): É uma bela pedra para trazer paz e tranquilidade. **Quartzo verde** (energia: receptiva): É utilizado em encantamentos de prosperidade para aumentar o dinheiro e proporcionar uma "vida fácil". Também é usado para estimular a criatividade. **Diamantes de Herkimer** (energia: projetiva): Cristais de quartzo minúsculos de terminação dupla.

São ótimos substitutos para os diamantes, na magia. **Quartzo rosa** (energia: receptiva): usado para estimular o amor e para "abrir o chacra do coração". Para atrair amor, use um cristal de quartzo rosa em forma de coração. Suas aplicações mágicas incluem promover a paz, a felicidade e a fidelidade em relacionamentos estáveis. **Quartzo rutilado** (energia: projetiva): É uma pedra de energia. Use durante rituais mágicos ou coloque no altar de pedras para aumentar a eficácia de sua magia. **Quartzo fumê** (energia: receptiva): Outra pedra para elevar o moral, usada para ligação com a terra. Afasta a depressão e outras emoções negativas. **Quartzo turmalinado** (energia: projetiva): Esse quartzo permeado por cristais de turmalina preta é geralmente usado para estimular a projeção astral.

Diamante

Energia: Projetiva
Planeta: Sol
Elemento: Fogo
Metais associados: Platina, prata, aço
Poderes: Espiritualidade, disfunção sexual, proteção, coragem, paz, reconciliação, cura, força

Tradição ritual/mágica: Diz a lenda que os europeus "descobriram" os diamantes africanos pela primeira vez na bolsa de couro de um xamã. Embora os relatos da lenda sejam incompletos, são baseados no fato de que os xamãs africanos devem ter usado seus diamantes do mesmo modo que os xamãs de outros lugares do mundo usam cristais de quartzo.

Nos tempos antigos, os diamantes eram usados como pedras polidas. Já eram apreciados por sua beleza, mas a aparência deslumbrante que têm hoje foi criada bem recentemente. Depois que as pessoas descobriram que aplicar um pouco de pressão no ponto correto de um diamante produzia uma faceta, a pedra passou a ser apreciada por seu fogo prismático.

Hoje, a produção mundial de diamantes é cuidadosamente controlada para manter o preço artificialmente alto – uma grande oferta de diamantes no mercado diminuiria consideravelmente seu valor.

Tais medidas ambiciosas não diminuíram o valor mágico do diamante. Como esses preços tão altos impedem que muitos de nós o experimentemos em nossos rituais, os substitutos mágicos listados na parte quatro podem ser usados com resultados satisfatórios.

Usos mágicos: O diamante possui amplo e variado repertório mágico. Quando usado, promove a espiritualidade e até o êxtase, o estado ritual de consciência dos xamãs. É bastante utilizado na meditação e nas buscas espirituais.

Quando portado ou usado, o diamante promove autoconfiança nas relações com o sexo oposto. Dizem que é potente para aliviar as causas da disfunção sexual. Usado para essa finalidade, remove bloqueios culturais (alguns dizem que patriarcais) que promoveram gerações de mulheres não orgásticas. O diamante é uma pedra limpadora, purificadora e libertadora em assuntos da sexualidade.

Na Índia, as mulheres (presumivelmente ricas) usam um diamante branco impecável, com um matiz levemente preto, para assegurar o nascimento de crianças do sexo masculino. É também usado para livrar da infertilidade.

Embora o diamante não seja uma pedra do amor, é usado para assegurar fidelidade e para reconciliar amantes que brigaram. Hoje, sem dúvida, o anel de diamante é o mais popular para os casamentos, graças em parte ao marketing agressivo; entretanto, o uso do diamante para esse fim não tem antecedentes históricos antigos, e outras pedras talvez sejam mais apropriadas.

Por causa de sua rigidez e das associações com o Sol, o diamante é usado no corpo ou em magia para aumentar a força física. Na Roma antiga, eram encravados em anéis de aço e usados de forma que a pedra tocasse a pele. Isso produziria bravura, ousadia e vitória. Ainda é usado hoje em dia para dar coragem. Na magia antiga da Índia, um diamante colocado em um anel de prata ou platina era usado para conseguir vitórias em batalhas e conflitos. Também era amarrado no braço esquerdo com a mesma finalidade.

O diamante, por causa de sua natureza flamejante, sempre foi visto como uma pedra de proteção. Para obter melhores resultados e para dar sorte a seu usuário, o diamante deve ser facetado em um corte de seis lados.

O mais surpreendente, considerando-se as associações mencionadas, é que o diamante seja uma pedra de paz, quando usada junto ao corpo. Alivia pesadelos e induz ao sono à noite.

Tente a vidência com um diamante facetado, à luz de vela suave, deixando-se mergulhar em seu mundo interior de cor e de luz.

Enxofre

Outros nomes: *Sulphur* (do latim)
Energia: Projetiva
Planeta: Sol
Elemento: Fogo
Poderes: Proteção, cura

Tradição ritual/mágica: O enxofre é um mineral amarelo. Quando queimado, emite um odor poderoso, bastante característico. Esse odor e sua cor fizeram com que o enxofre fosse usado em magia durante séculos.

Nas cerimônias de magia, costumava-se queimar enxofre para afastar "demônios" e "diabos". Isso graças ao conceito de que as forças positivas eram atraídas por cheiros doces, enquanto as negativas abominavam os maus odores e fugiam deles.

Mais tarde, o enxofre passou a ser queimado como um fumigante mágico para proteger animais e moradores da "fascinação", ou do aprisionamento psíquico.

Usos mágicos: Até recentemente o enxofre era prescrito para resfriados, reumatismo e dores no corpo. Era geralmente colocado em um saquinho vermelho e usado ao redor do pescoço.

Pedaços de enxofre também são colocados no altar durante rituais de proteção, ou em casa, como verdadeiros "guardiões" mágicos.

Esfena

Nome popular: Titanita
Energia: Projetiva
Planeta: Mercúrio
Elemento: Ar
Poderes: Poderes mentais, espiritualidade

Usos mágicos: Essa pedra de tom amarelo-esverdeado é raramente encontrada em cristais transparentes. Por ser muito macia, quase não é usada na fabricação de joias. "Esfena" é uma palavra grega que significa "cunha" (lembrando a forma de seus cristais).

Quando encontrada, é usada para melhorar a mente e o processamento de informações. É excelente para estudar, teorizar e debater. A esfena também é usada para promover iluminação espiritual durante a meditação e rituais místicos.

Esmeralda

Energia: Receptiva
Planeta: Vênus
Elemento: Terra
Divindades: Ísis, Vênus, Ceres, Vishnu
Metais associados: Cobre, prata
Poderes: Amor, dinheiro, poderes mentais, psiquismo, proteção, exorcismo, visão

Tradição ritual/mágica: A esmeralda, com seu tom brilhante, é representativa de nosso planeta. Como as esmeraldas estão entre as pedras mais caras no mercado, os substitutos mágicos mencionados na parte quatro deste livro podem ser usados.

Entretanto, esmeraldas baratas, de qualidade inferior, também estão disponíveis no mercado, conforme mencionei no capítulo 6. Procure por aí. Você poderá encontrar exatamente a esmeralda de que precisa para sua magia.

Usos mágicos: Se deseja atrair um amor para sua vida, compre uma esmeralda e carregue-a com sua necessidade mágica por meio da visualização, enquanto a coloca perto de uma vela verde. Depois desse ritual, use ou leve a esmeralda em um local perto do seu coração. Mas faça isso de modo que não seja visto pelos outros. Quando encontrar um futuro amor, você saberá que não foi a visão da joia que o atraiu.

As esmeraldas são frequentemente utilizadas em magias para negócios, em rituais para aumentar as vendas e expandir o conhecimento da empresa.

A pedra é usada para fortalecer a memória (uso sugerido pelo pseudo-Albertus Magnus no século XVI), assim como para produzir um discurso eloquente. A pedra afeta não apenas a mente consciente, mas também a psíquica (subconsciente), porque aumenta a consciência das faculdades psíquicas do seu usuário. Por causa desse efeito duplo, diz-se que a esmeralda proporciona o conhecimento do passado, do presente e do futuro.

No mundo todo, a esmeralda era usada ou utilizada em magia para proteção. A pedra era amarrada no braço esquerdo com um cordão para proteger os viajantes. As esmeraldas eram dadas às pessoas "possuídas" para exorcizar a entidade do mal que se alojara dentro delas (muitas dessas pessoas eram, na verdade, epiléticas ou asmáticas.)

A cor calmante fez com que as esmeraldas fossem usadas para aliviar a vista cansada, olhos fracos ou embaçados, para relaxar o nervo ótico e restaurar a visão normal.

Talvez o uso mais curioso das esmeraldas venha da Índia, onde as antigas escrituras hindus prescrevem o uso da pedra para evitar a poluição noturna.

Para se obter melhores resultados em magia, segundo os registros dos antigos magos, deve-se encrustar a esmeralda em prata ou cobre.

Espinela

Energia: Projetiva
Planeta: Plutão
Elemento: Fogo
Poderes: Energia, dinheiro

Usos mágicos: A espinela é encontrada na forma de cristais pretos, azuis, verdes e rosas e é bastante rara.

É usada em magia para emprestar energia ao corpo, podendo também estimular a força física durante períodos de excesso de esforço. Também é usada em magias destinadas a atrair bens e riquezas.

Estalagmites, estalactites

Energia: Estalagmites: projetiva; estalactites: receptiva
Elemento: Terra

Tradição ritual/mágica: As estalactites (formações que saem do teto das cavernas) e estalagmites (que parecem projetar-se do chão cavernoso) são produzidas por água rica em calcário, que goteja do teto das cavernas. Com o passar das eras, o gotejamento produz essas massas de calcita, conhecidas por qualquer pessoa que já tenha entrado em uma caverna. Às vezes, estalactites e estalagmites encontram-se, formando colunas de pedra.

No passado, acreditava-se que elas fossem de terra petrificada. Há cerca de cem anos, era prática comum dos visitantes de cavernas quebrá-las e levá-las como lembrança. Tal destruição, nefasta e desnecessária, felizmente acabou.

Historicamente, pequenas estalactites e estalagmites eram carregadas, geralmente em saquinhos, como amuletos contra a negatividade e o "mal". Sua forma fálica provavelmente contribuiu para que suas propriedades protetoras ficassem no imaginário popular. Essa é uma magia antiga e foi incluída neste livro por causa de seu interesse histórico. Não há necessidade de destruir a beleza das cavernas para fins mágicos. Substitua por qualquer outra pedra protetora.

Estaurolita

Outros nomes: Cruz de fada, lágrimas de fada, estaurótida, pedra de cruz

Elementos: Terra, ar, fogo e água

Poderes: Proteção, saúde, dinheiro, poderes elementais

Tradição ritual/mágica: A estaurolita (do grego *stauros*, que significa cruz) é cercada por diversas lendas, a maioria recentes e relacionadas ao Cristianismo.

Essas pedras são cristais gêmeos que apresentam formato de uma cruz de braços iguais, ou de um X. Pelo menos três presidentes dos Estados Unidos – Roosevelt, Wilson e Harding – carregavam estaurolitas para dar sorte.

Afirma-se que elas só são encontradas nas montanhas Blue Ridge, na Virgínia. Na verdade, elas também ocorrem na Carolina do Norte, no Novo México, na França e na Escócia, e, talvez em muitas outras localidades.

Na Bretanha, dizia-se que elas caíam do céu e eram usadas como amuletos.

Embora a cruz seja associada ao Cristianismo no mundo ocidental, ela era usada em religiões e em magia séculos antes dessa relativamente "nova" religião ter surgido.

Cruzes de braços iguais simbolizam a interpenetração dos planos físico e espiritual, a combinação das forças projetiva e receptiva dentro de nossos corpos e almas, e também a relação sexual.

Em magia, a estaurolita representa os quatro elementos.

Usos mágicos: As espécies de estaurolita variam de aparência. Quando os cristais gêmeos se entrecruzam nos ângulos corretos, eles produzem cruzes perfeitas com braços de igual comprimento. Essas são as prediletas para magia. Porém, é mais comum que os cruzamentos aconteçam em ângulos variados.

A estaurolita era usada ou carregada para proteger da negatividade, doença e acidentes. Pode-se energizar uma delas para ser colocada no carro com esse fim.

Essa pedra também é usada para atrair saúde e energizar a parte sexual.

Para adquirir controle sobre as forças elementais, use uma estaurolita incrustada em um *electrum*, na forma de anel ou de pingente.

Uma magia elemental: coloque uma estaurolita lisa no altar com uma ponta para cima. Depois, carregue uma pequena vela verde com as energias da terra, que correspondem a riqueza, estabilidade, fundamento e fertilidade. Encante uma vela amarela com as energias do ar: comunicações, movimento, pensamento, liberdade, sabedoria e espiritualidade.

Depois, energize mais duas velas: uma vermelha (fogo), visualizando a força de vontade, energia, sexualidade e força; e uma azul, carregando-a com as energias da água, como amor, prazer, psiquismo, purificação, fluidez e cura.

Coloque todas as velas em pequenos candelabros. Coloque a vela verde perto da ponta mais alta da estaurolita, a amarela perto do ponto leste, a vermelha para o sul e a azul para o oeste.

Se desejar, risque cada vela com as pedras relacionadas a cada elemento particular (veja na parte quatro as pedras elementais).

Agora, acenda a vela verde, visualizando seus poderes. Faça isso com uma vela de cada vez – ar, fogo e água. Veja-se no controle dessas energias. Jure trabalhar para equilibrar as forças elementais dentro de você. E misture essas forças dentro de você.

Repita uma vez por dia, durante uma semana.

Fluorita

Energia: Projetiva
Poderes: Poderes mentais

Usos mágicos: A fluorita é uma das pedras da Nova Era e está cada vez mais fácil de ser obtida no comércio.

Há várias cores de fluorita, encontrada em massas de cubos interpenetrantes, entremeados. Cristais únicos, que parecem duas pirâmides unidas pela base, também se encontram disponíveis para venda.

Essa pedra não tem muita história em magia; suas influências só agora estão sendo descobertas.

Em geral, a fluorita parece operar na mente consciente. É útil para endireitar os pensamentos, para reduzir o envolvimento emocional em certa situação a fim de obter uma perspectiva mais acurada.

Fortalece as habilidades analíticas de seu usuário e é útil para teorizar e assimilar informações.

Por causa de seus efeitos na mente consciente (intelectual), a fluorita domina emoções fortes e acalma os pensamentos em meio ao mar raivoso do desespero, da depressão e da mágoa.

Alguns praticantes usam a fluorita para fortalecer os efeitos de outras pedras.

Fósseis

Outros nomes: Esponja, pedra de bruxa, amonite, pedra de cobra, draconites
Energia: Receptiva
Elemento: Akasha
Poderes: Poder elemental, regressão a vidas passadas, proteção, longevidade

Tradição ritual/mágica: Fósseis são os restos – ou as impressões em negativo – de antigas criaturas ou plantas que pereceram há milhões de anos e, ao longo das eras, foram petrificando-se. Por já terem sido vivos um dia, os fósseis são relacionados a Akasha, o quinto elemento.

Na linguagem mística da mente psíquica, os fósseis representam o tempo, a eternidade e a evolução. Eles são exemplos tangíveis de como nada na natureza – nem mesmo uma criatura marinha pré-histórica – é desperdiçado. A energia não pode ser destruída, apenas as manifestações da energia. A matéria é transmutável.

O uso ritual de fósseis é antigo; muitos foram encontrados em locais onde corpos eram enterrados durante o período Neolítico na Europa. Por que foram colocados ali? Podemos apenas especular. Proteção? Guia para o outro mundo? Garantia de renascimento?

Fósseis são usados como ferramentas de poder por xamãs do mundo todo para potencializar as energias. Muitos praticantes contemporâneos de Wicca colocam-nos sobre seus altares por causa do significado místico.

Usos mágicos: Certa manhã quente e poeirenta, David Harrington e eu estávamos colhendo fósseis em um deserto do sul da Califórnia. Antigas bolachas do mar, conchas de moluscos bivalves e aglomerados de intricados corais revelaram-se para nós. Parando para descansar ao meio-dia, encontramos, miraculosamente, um riacho correndo sobre as rochas marrom avermelhadas cheias de cristais. Quando nos sentamos ao lado dele, o cheiro de resina de uma enorme árvore de lavanda do deserto espalhou-se ao nosso redor, enquanto olhávamos para nossas descobertas. Agradecemos à terra por partilhar conosco seu tesouro. Fósseis são belas e bizarras ferramentas de magia. Embora não sejam pedras, no sentido comum da palavra, os minerais que substituem as antigas criaturas e plantas criam substâncias parecidas com pedras e, por isso, os fósseis têm lugar definido em trabalhos de magia com pedras e cristais.

Em geral, os fósseis são usados como objetos protetores. São colocados em casa ou transformados em bijuteria e usados para aumentar as defesas naturais. No Marrocos, portam-se pedras misturadas a fósseis com fins de proteção.

Graças à sua idade ancestral, fósseis de todos os tipos também são usados como amuletos para aumentar a expectativa de vida.

Podem ser colocados no altar como símbolos da terra e da ambiguidade do tempo, ou para aumentar o poder dos rituais mágicos.

Alguns tipos de fósseis têm usos mágicos específicos.

Os amonites, conhecidos na Idade Média como draconites, são animais marinhos fossilizados em forma de espirais. Por causa da aparência bizarra, acreditava-se que eram pedras removidas da cabeça de dragões; eram amarradas ao braço esquerdo para proteção mágica. Na Inglaterra, em tempos mais recentes, eram conhecidas como "pedras de cobra".

Esponjas antigas, às vezes encontradas na Inglaterra, são conhecidas como "esponjas de bruxa". Elas são redondas e apresentam um furo natural. Esses fósseis podem ser pendurados em cordões e usados como pingente, ou pendurados na casa para dar proteção.

As bolachas do mar fossilizadas, que exibem um desenho natural de cinco pontas, são encontradas com frequência em altares da religião Wicca. São ligadas ao pentagrama, antigo símbolo protetor, e aos elementos. Assim como todos os outros tipos de fóssil, essas bolachas do mar são regidas por Akasha, o quinto elemento, e são portadas ou usadas em magia para ganhar consciência dos reinos da terra, do ar, do fogo e da água. Após se obter essa nova percepção, então a magia elemental pode começar (leia a parte quatro para saber mais sobre os elementos).

Uma simples magia elemental: Antes de qualquer ritual, coloque uma bolacha do mar fossilizada no centro do altar com uma ponta direcionada para longe de você. Coloque um pedaço de turquesa perto da ponta direita e harmonize-se com a terra.

Depois, no sentido horário do desenho, ponha um citrino, uma granada e uma água-marinha em cada ponta, representando o ar, o fogo e a água, respectivamente. Harmonize-se com cada elemento enquanto coloca as pedras.

Finalmente, ponha um pedaço de carvão fossilizado, âmbar, outro fóssil ou um cristal de quartzo perto da ponta superior para representar Akasha. Invoque os elementos coletivamente para potencializar a magia. Então, proceda para o ritual.

Se não tiver essas pedras específicas à mão, use qualquer uma daquelas listadas sob cada elemento na parte quatro.

Os fósseis também são utilizados para permitir a lembrança de vidas passadas. Faça esse ritual à noite, e use um cristal de quartzo para evitar ser perturbado ou prejudicado magicamente enquanto estiver em seu estado psíquico. Medite concentrado em um fóssil. Olhe para ele pensando em como é incrivelmente antigo. Harmonize-se com ele; sinta seu tempo passado-presente.

Em seguida, em um quarto iluminado apenas por luz de vela ou pelo luar entrando pela janela, segure um fóssil com a mão receptiva. Silencie a mente, respire profundamente e desperte sua consciência psíquica.

Sinta essa vida, esse corpo, essa personalidade saindo de você. Gradativamente, deixe fluir a energia de seu ser (alma) para além do nascimento, além da morte, além de outra vida.

Se reviver uma vida ou uma experiência perturbadora para você, solte o fóssil e retornará ao presente.

Tive sentimentos contraditórios relacionados a regressões a vidas passadas e hesitei em incluir esse ritual – simples assim – neste livro. Essa é uma área propícia ao autoengano. Mesmo assim, se tiver interesse nesses assuntos, é muito melhor tentar dar uma olhada para o passado você mesmo, do que confiar que outra pessoa o faça. Os fósseis podem abrir a porta.

Âmbar e carvão fossilizado, outros dois fósseis, serão discutidos separadamente neste livro, por causa de sua fama como ferramentas de magia.

Geodes

Outros nomes: Aetites, echites, Aquileus, pedra de águia, ovo de trovão
Energia: Receptiva
Elemento: Água
Divindade: A Grande Mãe
Poderes: Meditação, fertilidade, parto

Tradição ritual/mágica: Na Idade Média, acreditava-se que os geodes fossem apreciados pelas águias que os colocavam em seus ninhos. Redondos e contendo cristais, geodes simbolizam os ovos. Também se relacionam com a Deusa Grande Mãe.

Usos mágicos: Os geodes são concreções ocas que contêm cristais. Todos os cristais de quartzo, por exemplo, formam-se dentro de geodes, que podem ter mais de um quarto de milha de comprimento ou ser pequenos o suficiente para caber na palma da mão. Outros geodes não contêm cristais separados, mas, quando cortados, revelam intrincados padrões de minerais. Geodes de ametista são alguns dos objetos mais belos da Terra. Quando partidos ou quebrados, revelam uma massa de cristais púrpura, que cresce em direção ao centro. A luz do sol refletida neles é deslumbrante. Geodes alongados, às vezes chamados de "troncos de ametista", são encontrados com facilidade e valem bem as cifras de três a quatro dígitos que se pede por eles. Fazem lembrar a caverna de Merlin, popularizada no excelente romance arturiano de Mary Stewart, *A Caverna de Cristal*.

Um geode de ametista, ou qualquer geode que contenha cristais isolados, pode ser segurado e usado em meditação como objeto de contemplação.

Colocado no altar ou segurado, um geode pode ser utilizado para concentrar os poderes do tipo específico de pedra contido dentro dele. Durante a magia, use a visualização para dirigir esses poderes para seu objetivo mágico.

Se colocados no quarto e carregados com energia, podem aumentar a fertilidade e promover a concepção.

O pseudo-Albertus Magnus recomendava carregar ou usar geodes para atrair amor e para evitar partos prematuros (abortos).

Granada

Energia: Projetiva
Planeta: Marte
Elemento: Fogo
Poderes: Cura, proteção, força

Tradição ritual/mágica: No século XIII, as granadas eram usadas para repelir insetos.

Usos mágicos: a granada, uma pedra de cor vermelha ardente, é usada para aumentar a força física, a resistência e o vigor. É usada ou carregada em magia para acrescentar energia extra aos rituais. Use ou carregue uma quando estiver fazendo algum esforço (escalando uma montanha, estudando até amanhecer, em trabalhos rituais pesados, e assim por diante).

Por ser uma pedra projetiva, a granada é usada para fins de proteção. Há quinhentos anos, acreditava-se que ela afastava demônios e fantasmas noturnos. Hoje a granada, assim como muitas outras pedras protetoras, é vista como fortalecedora da aura, capaz de criar um escudo de vibrações altamente positivas que repelem as energias negativas ao contato. Digamos que você esteja usando uma granada à noite e que a visualizou protegendo você. Um possível assaltante, por exemplo, poderia decidir deixá-lo em paz, "assustado" pelas "vibrações ruins" que você está emanando. Granadas são especialmente recomendadas para proteger contra ladrões.

Na Idade Média, entalhava-se a imagem de um leão em uma granada, e esta era carregada para proteger a saúde, especialmente durante viagens.

Pedra curadora, a granada é usada para aliviar doenças cutâneas, em especial inflamações. Também regula o coração e o sangue.

No passado, as granadas eram trocadas entre amigos que estavam se afastando para simbolizar sua afeição, e para assegurar, magicamente, que voltariam a se encontrar.

Hematita

Nome popular: Cuspe de vulcão
Energia: Projetiva
Planeta: Saturno
Elemento: Fogo
Poderes: Cura, ligação com a terra, vidência

Tradição ritual/mágica: A hematita é uma pedra estranha. Ela é pesada, sólida e de um preto prateado. Seu próprio nome já é um mistério. Para os antigos, hematita era o que conhecemos hoje como pedra-de-sangue; assim, praticamente todas as informações mágicas relacionadas à "hematita" nos livros antigos referem-se à pedra-de-sangue. Essa hematita, entretanto, quando trabalhada na roda de um lapidário, "sangra" e produz manchas que se parecem muito com sangue, segundo me disseram.

A hematita é uma pedra muito fina e vistosa. Na Itália e em outros lugares é usada em colares que são vendidos como "cuspe de vulcão". São raras as informações mágicas sobre essa pedra.

A hematita possui a curiosa propriedade de "curar" a si mesma. Faça um pequeno arranhão na superfície da pedra, depois esfregue seu dedo nela. É possível que o arranhão desapareça.

Usos mágicos: Costuma-se dizer que a hematita é poderosa para afastar as doenças do corpo. Assim como todas as pedras, deve ser segurada nas mãos no momento da visualização, e depois coloca-se a pedra diretamente na pele sobre a parte afetada. Um colar de pequenas pedras também pode ser usado para cura.

A hematita é usada para fazer ligação com a terra, para estabilidade e para focar a atenção no plano físico.

Uma vidência: em um quarto escuro, acenda uma vela vermelha. Acomode-se diante dela e segure um pedaço grande de hematita, de modo que a chama da vela seja refletida na pedra. Olhe para o reflexo e visualize sua pergunta. A resposta será dada a você.

Jade

Outros nomes: *Piedra de hijada* (em espanhol, "pedra dos flancos")
Energia: Receptiva
Planeta: Vênus
Elemento: Água
Divindades: Kwan, Yin, Maat, Buda
Poderes: Amor, cura, longevidade, sabedoria, proteção, jardinagem, prosperidade, dinheiro

Tradição ritual/mágica: Jade tem sido usado para criar instrumentos musicais, inclusive xilofones, gongos e sinos dos ventos. Quando a pedra é tocada, produz um tom ressonante. Tais instrumentos eram usados em rituais na China, em toda a África e também pelos Hopi indianos.

O Jade era, e ainda é, uma pedra sagrada na China. Os altares da Lua e da Terra eram feitos de jade, assim como as imagens de Buda e de diversas divindades. A pedra era frequentemente incluída entre os produtos colocados nos túmulos na China, porque se acreditava que daria vitalidade aos mortos. Uma pedra de jade entalhada com a imagem de dois homens era trocada entre amigos como sinal de amizade.

Na Nova Zelândia, os Maori esculpiam nefrite (uma pedra relacionada ao jade) em imagens de figuras ancestrais, geralmente com olhos de madrepérola. Chamadas de *hei tiki*, essas figuras eram usadas em cerimoniais. A pedra em si era considerada afortunada.

Acredita-se que o jade tenha poder sobre o tempo. Era atirado na água com grande força para trazer neblina, chuva ou neve.

Usos mágicos: O jade é uma antiga pedra usada para atrair amor. Na China, é esculpida na forma de uma borboleta para esse fim e pode ser dada a outra pessoa na esperança de se obter seu amor. Também costuma ser dado de presente por um homem à sua noiva antes do casamento.

A suave luz verde do jade é curativa. Usar a pedra ajuda o corpo a curar-se, enquanto trabalha os problemas subjacentes, não físicos, que provocaram a doença. É especialmente indicado para problemas dos rins, do coração e do estômago.

Pode-se utilizar o jade para prevenir doenças e problemas de saúde. Os maias antigos usavam amuletos de jade para proteger contra doenças dos rins e problemas da bexiga.

Os chineses sentiam no jade o poder de prolongar a vida. Para isso, ele era esculpido em imagens de morcegos, ursos e cegonhas. Do mesmo modo, tigelas de jade eram usadas nas refeições, porque os chineses acreditavam que a energia da pedra permeava o alimento que estava sendo consumido.

Um pedaço de jade é usado durante a jardinagem para melhorar a saúde das plantas. Quatro pedaços de jade enterrados ao longo do perímetro de um jardim também são eficientes para essa finalidade.

Usar jade pode atrair dinheiro para sua vida. Carregue um pingente ou anel de jade com energias que atraiam dinheiro; depois use-o, permitindo-se conscientemente receber dinheiro. Crie uma atitude positiva em relação ao dinheiro e visualize a si mesmo empregando-o de forma produtiva e criativa. Visões sombrias dos "problemas" que o dinheiro traz irão, certamente, afastá-lo de você.

Ao considerar uma transação comercial, segure um pedaço de jade em sua mão receptiva por alguns momentos. Sinta-se imerso em suas energias de prosperidade. Então, decida que rumo tomar.

O jade é usado, portado ou colocado sobre o terceiro olho para que a pessoa receba sabedoria. A propósito, sabedoria não é simples conhecimento; trata-se do conhecimento assimilado, corretamente aplicado ou retido. O jade fortalece as faculdades mentais e ajuda o raciocínio.

Essa pedra também protege contra acidentes e contratempos que a atenção adequada é capaz de evitar. Também é colocada no altar com velas púrpuras ou usada durante magias de defesa.

Aqui está uma antiga magia, só por brincadeira: pegue um pedaço perfeitamente quadrado de jade. Entalhe os números 1, 8, 1 e 1 no quadrado, um número em cada canto.

Engaste a pedra em ouro puro. Ao nascer do sol, vire-se de frente para o amuleto e respire três vezes sobre ele. Depois diga "Thoth" 500 vezes. Quando tiver terminado, o amuleto estará pronto. Amarre uma linha em volta dele e carregue-o sempre consigo para evitar que outras pessoas consigam impor a vontade delas sobre você.

Jaspe

Outros nomes: Gug (assírio antigo), trazedor de chuva (índios americanos)
Energia: Diversas
Planeta: Diversos
Elemento: Diversos
Poderes: Cura, proteção, saúde, beleza

Tradição ritual/mágica: Os índios norte-americanos utilizavam o jaspe em cerimônias para trazer chuva, daí o nome "fazedor de chuva". Foi também usado pelos primeiros habitantes dos Estados Unidos para adivinhação.

Um jaspe grande, com a imagem entalhada de um dragão cercado por raios, era usado pelo antigo rei egípcio Nechepsus para fortalecer seu trato digestivo.

Usos mágicos: O jaspe é uma pedra comum, variedade opaca de calcedônia, que é uma forma de quartzo. Encontrado em grande variedade de cores – sendo vermelho, marrom e verde as mais comuns – tem sido usado em magia desde os tempos mais remotos.

Geralmente, o jaspe é usado ou carregado para promover os processos mentais e para reprimir os desejos perigosos ou caprichos que poderiam levar a situações perigosas.

É também uma pedra que protege tanto de perigos físicos quanto dos não físicos.

Segurar um pedaço de jaspe na mão durante o parto protege a mãe e a criança. Também é usado para aliviar a dor, especialmente as dores do parto.

Usam-se pontas de flecha perfeitamente esculpidas em jaspe para atrair sorte para seu usuário.

Cada cor tem sua própria natureza mágica e usos correspondentes.

Jaspe vermelho (energia: projetiva, planeta: Marte, elemento: fogo): O jaspe vermelho era gravado com imagens de leões ou de arqueiros, além de ser portado por seu usuário para protegê-lo contra venenos e curar febres. Essa boa pedra protetora é utilizada em magia defensiva, pois devolve a negatividade para quem a enviou. Também é usada durante magias de cura e de saúde. O jaspe vermelho é usado por mulheres jovens para promover beleza e graça.

Jaspe verde (energia: receptiva, planeta: Vênus, elemento: terra): Esse é um amuleto de cura e um talismã de saúde. Faça círculos de

Enciclopédia Cunningham de Magia com Cristais, Gemas e Metais

«— ÁGATA CORNALINA

ÁGATA LISTRADA —»

«— ÁGATA PRETA

AGLOMERADO DE —»
CITRINO

«— ÁGUA-MARINHA

AMAZONITA —»

«— ÂMBAR

AMETISTA —»

«— AVENTURINA

AZURITA —»

«— BERILO HELIODORO

CALCEDÔNIA —»

Enciclopédia Cunningham de Magia com Cristais, Gemas e Metais

«— CALCITA

CALCITA AREIA —»

«— CALCITA COBALTINA

CARVÃO FOSSILIZADO —»

«— CELESTITA

CITRINO —»

«— COBRE

Enciclopédia Cunningham de Magia com Cristais, Gemas e Metais

«— COBRE CRU

CORAL —»

«— CORNALINA

CRISOCOLA —»

«— CRISOPRÁSIO

CRISTAL DE QUARTZO AGLOMERADO —»

Enciclopédia Cunningham de Magia com Cristais, Gemas e Metais

CRISTAL DE QUARTZO FUMÊ —»

«— **CRISTAL DE QUARTZO ROSA**

CRISTAL DE QUARTZO RUTILADO —»

«— **CRISTAL DE QUARTZO TURMALINADO**

DANBURITA —»

«— **DIAMANTE DE HERKIMER**

ENXOFRE —»

«— ESFENA (TITANITA)

ESMERALDA —»

«— ESPINELA

ESTALACTITE APOFILITA —»

«— ESTALACTITE CALCEDÔNIA

FLUORITA —»

Enciclopédia Cunningham de Magia com Cristais, Gemas e Metais

«— FLUORITA CHINESA

FLUORITA OCTAEDRO —»

«— FLUORITA PÚRPURA

FLUORITA VERDE —»

«— FÓSSIL DE AMONITE

FÓSSIL DE ORQUÍDEAS —»

Enciclopédia Cunningham de Magia com Cristais, Gemas e Metais

«—— FÓSSIL DE SAMAMBAIA

GEODES ——»

«—— GRANADA

GRANADA ——»
VERMELHA

«—— HEMATITA

JADE ——»

Enciclopédia Cunningham de Magia com Cristais, Gemas e Metais

«—— JASPE

JASPE VERMELHO ——»

«—— KIANITA

KUNZITA ——»

«—— LÁGRIMA APACHE

LÁPIS LAZÚLI ——»

Enciclopédia Cunningham de Magia com Cristais, Gemas e Metais

«— LÁPIS LAZÚLI RÚSTICO

MADEIRA —» PETRIFICADA

«— MALAQUITA

MÁRMORE —»

«— MÁRMORE VERDE

METEORITO —»

«— **MICA BIOTITA**

MICA LEPIDOLITA —»

«— **OBSIDIANA**

OLHO DE TIGRE —»

«— **ÔNIX**

OPALA —»

«— OPALA BOULDER

PEDERNEIRA —»

«— PEDRA DA LUA

PEDRA FURADA, ÁGATA —»

«— PEDRA DE CACHIMBO

PEDRA DE CRUZ —»

Enciclopédia Cunningham de Magia com Cristais, Gemas e Metais

«—— **PEDRA-DE-SANGUE**

PEDRA-POMES ——»

«—— **PERIDOTO**

PIRITA ——»

«—— **PIRITA, CUBO**

PRATA ——»

Enciclopédia Cunningham de Magia com Cristais, Gemas e Metais

«— RODOCROSITA

RODOCROSITA
ESTALACTITA —»

«— RODONITA

RUBI —»

«— RUBI INCRUSTRADO
EM CALCITA

SAFIRA —»

«— SAL DE ROCHA
(HALITA)

Enciclopédia Cunningham de Magia com Cristais, Gemas e Metais

SODALITA —»

«— **SUGILITA**

TOPÁZIO —»

«— **TURMALINA INDICOLITA**

TURMALINA MELANCIA —»

«— **TURMALINA OLHO-DE-GATO**

TURMALINA PRETA —»

Enciclopédia Cunningham de Magia com Cristais, Gemas e Metais

«— TURMALINA ROSA

TURMALINA —»
RUBELITA

TURQUESA —»

«— ULEXITA

VANADINITA —»

«— ZIRCÔNIA

jaspe verde em torno de uma vela verde para promover a cura do corpo ou para prevenir doenças. Use essa pedra para evitar alucinações e para ter um sono reparador. Também é usada para nos tornar mais solidários com os estados emocionais e mentais das outras pessoas.

Jaspe marrom (energia: receptiva, planeta: Saturno, elemento; terra): Use jaspe marrom para concentração e ligação com a terra, especialmente depois de rituais mágicos pesados e de trabalhos psíquicos e espirituais. Se você tende a viver nas nuvens, a ponto de prejudicar sua vida física, use um jaspe marrom.

Jaspe mosqueado (energia: projetiva, planeta: Mercúrio, elemento: ar): Use jaspe mosqueado para proteger de afogamento. Dizem que ele é especialmente potente para essa finalidade, quando gravado com a imagem de uma cruz de braços do mesmo tamanho, representando os poderes dos quatro elementos, de fundação e de controle.

Kunzita

Energia: Receptiva
Planetas: Vênus
Elemento: Terra
Poderes: Relaxamento, paz, ligação com a terra

Usos mágicos: Em uma recente exposição mineralógica de pedras-gemas em San Diego, parei em uma barraca que exibia dúzias de belos exemplares de kunzitas rosas e lilases. O tamanho delas variava de cerca de uma polegada de comprimento a enormes pedaços de meio pé. As kunzitas emitiam uma vibração pacífica que ficava evidente só de se chegar perto delas.

"Segure isto. Não acalma você?", uma mulher perguntou a seu companheiro, pressionando uma pequena pedra na mão dele. Ele confirmou que sim. A etiqueta mostrava o preço: 95 dólares.

Kunzita é uma pedra bastante "moderna" – nenhuma fonte antiga a menciona. Mesmo assim, rapidamente ganhou fama e alguns usos mágicos atribuídos a si por aqueles que trabalham com ela.

As kunzitas de melhor qualidade parecem ser aquelas com sombra lilás. Pelo que me disseram, a cor vai clareando se ela for exposta à luz solar por muito tempo. Conforme mencionado, ela é cara – a peça do tamanho de uma moeda de 15 centavos que comprei recentemente custou nove dólares.

Magicamente, a kunzita é segurada ou usada para induzir ao relaxamento. Alivia as tensões e, se passada sobre aqueles músculos nos quais carregamos os efeitos do estresse diário, é capaz de relaxá-los.

Se você trabalha sob pressão, coloque um exemplar em sua mesa ou perto do computador. Segure a pedra em sua mão receptiva para desestressar. Mantida no carro, a kunzita pode ajudar a relaxar no trânsito. Se achar que tem dinheiro suficiente, acrescente um pedaço de kunzita aos amuletos de proteção do carro, para assegurar que você não causará problemas enquanto estiver atrás do volante.

Assim como a ametista, a kunzita também induz à paz. Carregue-a consigo ou contemple-a para acalmar a raiva, os nervos ou o medo.

Também é um elemento de concentração e de ligação com a terra e, por isso, deve ser usada por aqueles que precisam internalizar a ideia de "volte para a Terra".

A kunzita também pode ser útil para atrair o amor. Muitos de seus segredos ainda jazem dentro dela, esperando para ser descobertos.

Lágrima apache

Energia: Projetiva
Planeta: Saturno
Elemento: Fogo
Poderes: Proteção, sorte

Usos em magia: A lágrima apache, um glóbulo de obsidiana translúcido, atrai boa sorte. Também é usado para proteção e todas as finalidades descritas para a obsidiana.

Lápis-lazúli

Energia: Receptiva
Planeta: Vênus
Elemento: Água
Divindades: Ísis, Vênus, Nuit
Metal associado: Ouro
Poderes: Cura, alegria, fidelidade, psiquismo, proteção, coragem

Tradição ritual/mágica: Lápis-lazúli tem associações com reis e rainhas de tempos imemoriais.

Na antiga Suméria, a pedra era associada às divindades em geral. Ao carregá-la consigo, seu usuário adquiria o poder mágico da divindade, pois a pedra conteria a força por trás desta. Alguns diziam que a pedra abrigava a alma da divindade, que iria "regozijar-se em seu dono".

Esse material era popular nos selos de cilindros na Suméria. Eram pedras pequenas e redondas profundamente entalhadas com imagens de divindades e símbolos. Os selos de cilindros eram usados como "assinaturas", pressionando-se a pedra entalhada em documentos de argila molhada; também eram apreciados como amuletos e talismãs.

Alguns acreditam que o lápis-lazúli, bela pedra azul *royal* com flocos de pirita dourada, combine as influências de Vênus e de Marte, já que a pirita é regida por Marte. Mas tal afirmação não tem muito fundamento, uma vez que o conteúdo de pirita é mínimo e, em algumas peças, praticamente não existe.

Usos mágicos: Lápis-lazúli, uma pedra bastante cara, é curativa e calmante. Apenas tocar o corpo com a pedra melhora a condição mental, física, espiritual, psíquica e emocional.

É usada especificamente para aliviar febres e doenças do sangue. O lápis-lazúli fortalece a vista se for usada com frequência. Segurada na mão durante qualquer ritual de cura, ou colocada ao redor de velas azuis ou púrpuras, a pedra ajuda o mago a concentrar a energia no resultado mágico.

Se estiver fazendo o ritual de cura para um amigo, segure a pedra e visualize a pessoa doente como um ser humano curado, saudável, integral. Visualize a energia fluindo da pedra e, depois de potencializada e especificada, observe-a fluindo para a pessoa.

Lápis-lazúli é uma pedra de elevação espiritual. Sua cor de um azul profundo reflete vibrações pacíficas. É útil para aliviar a depressão e promover a espiritualidade, além de ser uma pedra meditativa. Também estimula a gentileza em seu usuário.

Essa pedra é usada em rituais destinados a atrair amor espiritual. Pegue uma peça não polida de lápis-lazúli com ponta fina. Energize a pedra e uma vela cor-de-rosa com sua necessidade amorosa. Então, usando o lápis-lazúli, desenhe um coração na vela. Coloque a vela em um candelabro e acenda-a enquanto visualiza o amor vindo para sua vida.

A lápis-lazúli é considerada potente promotora da fidelidade e, por isso, é usada para fortalecer os laços que se formaram entre amantes.

Talvez seu uso mais comum hoje seja o de fortalecer a consciência psíquica, pois quebra o vínculo da mente consciente com a mente subconsciente (psíquica) e permite que se conheçam os impulsos intuitivos. Usar um colar de contas de lápis-lazúli, ou segurar um pedaço em sua mão, aumenta a percepção desses impulsos que, de outra forma, seriam difíceis de perceber.

Para aumentar a consciência psíquica (ou seja, sua habilidade de aproveitar essas informações), use lápis-lazúli todos os dias. Ou faça uso dela apenas para vidência, para consultar o tarô de pedras ou de qualquer outra forma que fale à sua mente psíquica. Lembre-se, esses atos divinatórios e os atos a eles associados são geralmente "truques" para relaxar a mente consciente.

Lápis-lazúli também é uma pedra protetora, especialmente das crianças. Na Índia contemporânea, contas de lápis-lazúli são enfiadas em fios de ouro. O colar resultante é então usado por crianças para assegurar saúde, crescimento e proteção, e para afastar medos e fantasias perturbadoras.

Essa influência geradora de coragem também é utilizada por adultos e deve-se, talvez, às propriedades psíquicas e protetoras do lápis-lazúli.

Apesar de seu alto preço, é uma pedra que todo mago deveria possuir e utilizar.

Lava

Energia: Projetiva
Planeta: Marte
Elemento: Fogo
Divindade: Pele
Poderes: Proteção

Tradição ritual/mágica: O vulcão é um antigo símbolo de criação. A erupção representa os quatro elementos em ação: terra e fogo se misturam para criar a lava, que é líquida (água). A fumaça (ar) sai pela cratera. Quando a lava entra em contato com a água, ao esfriar cria uma nova terra, estendendo essa massa de terra até o mar. Em muitas partes do mundo, esses impressionantes atributos conferiram à lava propriedades mágicas.

Antes que os europeus descobrissem o Havaí, rochas de lava eram usadas para construir *heaiu*, que eram centros de atividades mágicas e religiosas. Os heaiu (palavras havaianas não levam s para fazer o plural) tinham diferentes funções. Alguns eram centros de cura, completos com jardins de ervas; outros eram devotados às divindades da pesca; outros, ainda, eram domínio do deus da guerra, Kukailimoku, famoso patrono de Kamehameba.

Atualmente, os havaianos que ainda praticam os costumes antigos vão aos heaiu de cura e procuram as rochas azuis de lava. Eles embrulham uma folha de *ki* (ti) em volta da rocha e a colocam na terra, pedindo uma cura. Essa prática é bastante comum e, se você visitar um *heaiu*, especialmente um daqueles devotados à cura, como o Keaiwa Heaiu, nas colinas de Honolulu, verá um sem-número de rochas de lava embrulhadas em folhas.

Todos os dias, pacotes contendo rochas de lava apanhadas por turistas desavisados são devolvidos pelo correio ao Centro de Visitantes no Parque Nacional de Vulcões do Havaí. Frequentemente, são acompanhados de cartas detalhando as dificuldades que essas pessoas enfrentaram desde quando retiraram as pedras dali.

Pele, antiga deusa havaiana dos vulcões, da destruição e da criação, tem muito ciúme de suas pedras. Pegar suas pedras sem antes oferecer-lhe um presente (como frutas de *ohelo*, flores de *ohia lehua*, taro ou raiz de *kalo*, ou ainda, no mundo moderno, garrafas de gim) e depois pedir permissão ainda é visto como um convite seguro para problemas metafísicos.

Usos mágicos: Há dois tipos de lava conhecidos no mundo todo pelos nomes havaianos. *A'a*, uma lava rústica e compacta, considerada projetiva, ou masculina. *Pahoe hoe*, ou lava lisa, que é receptiva ou feminina. *A'a* é mais potente para proteção mágica, mas ambas funcionam bem. Por causa de sua origem vulcânica, citei as duas como tendo energia projetiva.

Um pequeno pedaço de lava colocado no altar, ou carregado no bolso, é um poderoso amuleto protetor. Para proteção da casa, em geral, faça um círculo com rochas de lava em torno de uma vela branca e deixe-a acesa durante 15 minutos todos os dias.

Para proteção em caso de suspeita de ataque psíquico, tome banho em água salgada. Depois, usando nove pedacinhos de lava, sente-se no chão ou assoalho de frente para o leste. Começando com o leste, coloque cada pedra a poucos pés de distância de você, para fechar um círculo em volta de seu corpo.

Sinta as vibrações protetoras da lava enviando fluxos ou jatos de lava líquida, que repelem e devolvem a negatividade enviada, consciente ou inconscientemente, a quem a originou. Repita, se necessário.

Lepidolita

Outros nomes: Pedra da paz
Energia: Receptiva
Planetas: Júpiter, Netuno
Elemento: Água

Poderes: Paz, espiritualidade, sorte, proteção, evita pesadelos, psiquismo, amor

Usos mágicos: Nas montanhas da Reserva Indígena de Pala, a uma hora de viagem ao norte de San Diego, existem áreas ricas em pegmatitas. Nessas montanhas, são encontradas turmalinas rosas, vermelhas, verdes e multicoloridas, mica, berilo, morganita, hidennita (espodumena verde), kunzita e toneladas de lepidolita.

Blocos de dois a três pés de brilhantes pedras lilases resplandecem ao sol. No meio das rochas, aglomerados de turmalinas rosas. O efeito é surpreendente e inspirador.

A lepidolita é um tipo de mica de cor violeta, rica em lítio. É um belo, contudo frágil, mineral. Embora seja encontrado em formas duras o suficiente para ser moldadas em ovais ou esferas, a maioria esfarela com facilidade. Alguns são entremeados com cristais de turmalina rosa.

Por não ser uma pedra-gema, lepidolita é difícil de achar em lojas. Quando os praticantes de magia passarem a conhecer melhor as propriedades dela, será mais fácil encontrá-la.

Essa pedra é calmante, adequada para aliviar o estresse da vida diária. Para essa finalidade, geralmente é carregada junto ao corpo e raramente é transformada em joia.

A lepidolita acalma a raiva, o ódio ou outra emoção negativa. Apenas segure a pedra em sua mão receptiva por alguns momentos e respire fundo. Ou, para acalmar a casa toda, coloque pedras de lepidolita em círculo ao redor de uma vela rosa.

Graças a seus efeitos calmantes e à cor, às vezes de um violeta brilhante, você pode usar a lepidolita em rituais ou carregá-la consigo para promover a espiritualidade.

Quando portado por seu usuário, esse mineral atrai boa sorte. Também afasta a negatividade, embora suas propriedades protetoras não sejam consideravelmente fortes.

Para ter um sono reparador, sem pesadelos, coloque um pouco de lepidolita perto da cabeceira da cama.

Alguns praticantes de magia com pedras vêm usando lepidolita para aumentar a consciência psíquica. Um jeito fácil de fazer isso é colocar um grande pedaço do mineral em seu altar, entre velas amarelas ou azuis. Acomode-se diante dele e trabalhe para derrubar a ditadura de sua mente consciente.

Peças de turmalina rosa incrustadas em lepidolita são úteis para promover amor ou para acalmar as emoções negativas que perturbam os relacionamentos. É uma pedra de reconciliação.

Madeira petrificada

Energia: Receptiva
Elemento: Akasha
Poderes: Longevidade, regressão a vidas passadas, cura, proteção

Usos mágicos: Madeira petrificada consiste em antigas árvores que há eras foram cobertas por água rica em minerais. A água dissolveu lentamente a madeira e a substituiu por vários minerais. Esse processo produziu o que conhecemos por "madeira petrificada".

Trata-se de um fóssil regido por Akasha. Por causa de sua imensa antiguidade (a origem da madeira fossilizada remonta a milhões de anos), é carregada com seu usuário ou utilizada em encantamentos destinados a prolongar a vida ou aumentar o prazer e a evolução dentro de nossas vidas.

Ainda em virtude de sua antiguidade, a madeira petrificada é usada para lembrar reencarnações passadas.

A "pedra" é portada como um amuleto protetor por causa de sua dureza e aparência estranha. Em tempos remotos, acreditava-se que era capaz de "assustar" o mal. Hoje, vemos esse material como uma barreira que desvia a negatividade.

A madeira petrificada também serve de amuleto contra afogamento.

Madrepérola

Energia: Receptiva
Planetas: Lua, Netuno
Elementos: Água, Akasha
Metal associado: Prata
Poderes: Proteção, riqueza

Tradição ritual/mágica: A madrepérola é o interior lustroso, opalescente de vários moluscos marinhos. Embora não seja uma pedra, foi incluída aqui por causa de seu antigo uso em magia. Há tempos madrepérola é usada na ourivesaria ritualística, sendo que as conchas do mar eram o meio de troca (dinheiro) em muitas partes do mundo onde os metais eram raros ou inexistentes, como na Polinésia.

Como essa substância é produto de uma criatura viva – o esqueleto externo ou concha –, está relacionada ao quinto elemento, Akasha. Apanhe madrepérola você mesmo em leitos de rios ou no oceano. Como a madrepérola comercial é obtida matando-se o animal que a produziu, pode ser arriscado usá-la em magia.

Misticamente, relaciona-se com o oceano, a profundidade e o movimento.

Usos mágicos: A madrepérola é colocada em recém-nascidos para protegê-los dos perigos da nova existência.

É também uma ótima substância para se usar em magias para atrair bens, dinheiro e riquezas. Energize um pedaço de madrepérola com sua necessidade de dinheiro. Molhe-a com água do mar (que contém ouro) ou com algum óleo que atraia dinheiro, como patchouli ou cedro. Coloque uma moeda de prata, ou qualquer peça de prata, perto da concha. Enrole uma nota de um dólar, ou um papel verde, bem apertado na madrepérola e no objeto de prata, amarrando-o com um cordão verde.

Coloque esse talismã no altar entre duas velas verdes. Deixa a vela acesa por dez a 15 minutos, enquanto visualiza. Depois, carregue o objeto sempre com você.

Malaquita

Outros nomes: Malaku (do grego "malva")
Energia: Receptiva
Planeta: Vênus
Elemento: Terra
Erva associada: Malva
Poderes: Poder, proteção, amor, paz, sucesso nos negócios

Tradição ritual/mágica: Usa-se um pedaço de malaquita para detectar um perigo iminente. Dizem as lendas que essa pedra, assim como muitas outras, quebra-se em pedaços para avisar seu usuário quanto a perigos futuros.

Usos mágicos: Essa bela pedra verde, com listras de várias tonalidades, é usada para conferir energia extra a rituais de magia. Usar, segurar ou colocar em seu altar uma dessas pedras aumenta-lhe a habilidade de enviar poder ao seu objetivo mágico. Antigamente, acreditava-se que elas eram mais eficientes quando entalhadas com a figura de um sol e seus raios.

Embora a pedra apresente um tranquilo tom verde azulado, é usada em magias protetoras, especialmente as que envolvem crianças. Contas ou pingentes de malaquita são usados para proteger contra negatividade e perigos físicos. Também é guardiã de viajantes e diz-se que é particularmente poderosa para evitar quedas.

Usar um colar de malaquita, que toque a pele perto do coração, expande sua capacidade de amar e, assim, atrai amor para você. Ou então, utilize a pedra em magias para atrair amor. Coloque-a em um pedaço de cobre riscado com o símbolo do planeta Vênus (♀), um círculo com uma cruz de braços iguais embaixo. Atrás da pedra, coloque uma vela verde e deixe-a acesa por 15 minutos por dia, enquanto vê a si mesmo em uma relação amorosa.

A cor dessa pedra, de um verde profundo, é calmante. Olhar fixamente para uma malaquita, ou segurá-la na mão receptiva, relaxa o sistema nervoso e acalma emoções tumultuadas. A malaquita traz tranquilidade e assegura um sono reparador, se usada na cama. Segurada na mão, afasta a depressão.

Pequenos pedaços de malaquita dispostos em cada canto de um prédio comercial, ou um pedacinho colocado dentro da caixa registradora, atrai clientes. Usada em reuniões de negócios ou feiras, aumenta a habilidade de fazer bons negócios e boas vendas. É a pedra dos vendedores, por excelência.

Mármore

Nome popular: Nicomar
Energia: Receptiva
Planeta: Lua
Elemento: Água
Poderes: Proteção, sucesso

Usos mágicos: O mármore é um carbonato de cálcio. Embora coral, calcita, calcário, estalagmites, giz, conchas do mar e ossos sejam todos cálcio, eles têm diferentes usos mágicos.

O mármore, especificamente, é usado em magias de proteção. Um altar feito de mármore, todo ou em parte, é o local ideal para magias protetoras (alguns magos usam um pedaço de mármore para formar a base de seus altares). Mesas ou utensílios de mármore representam proteção para a casa. O mármore pode ser usado ou carregado para proteção pessoal, como era costume na Índia.

Ainda é utilizado em magias que envolvem sucesso pessoal, em um sentido geral.

Mica

Energia: Projetiva
Planeta: Mercúrio
Elemento: Ar
Poderes: Vidência, proteção

Usos mágicos: Mica, um termo genérico usado para minerais que exibem camadas flexíveis de cristal, finas como papel, é uma pedra comum. Pegue um pedaço de mica de pelo menos uma polegada quadrada, mais ou menos. Enquanto visualiza a si mesmo detendo controle total sobre seus poderes psíquicos, segure a pedra à luz da lua cheia. Capture o brilho dessa luz na superfície brilhante da mica. Movimente a pedra com delicadeza em suas mãos e deixe que o brilho entorpeça sua mente consciente. Expanda sua consciência psíquica para determinar eventos futuros. A mica também pode ser carregada para dar proteção em geral.

Obsidiana

Energia: Projetiva
Planeta: Saturno
Elemento: Fogo
Divindade: Tezcatlipoca ("espelho de fumaça" ou "espelho brilhante" na língua asteca)
Poderes: Proteção, ligação com a terra, divinação, paz

Tradição ritual/mágica: A obsidiana nada mais é do que lava que esfriou tão rápido que os minerais contidos dentro dela não tiveram tempo de se formar. Trata-se de um tipo de vidro que ocorre naturalmente.

Os antigos astecas confeccionavam espelhos planos e quadrados desse vidro negro para usar em divinação. De acordo com a lenda, é possível que o famoso dr. Dee, um mago-alquimista contratado pela rainha Elizabeth I, tenha usado um desses espelhos em suas sessões de clarividência.

Era um material bastante popular para fabricar facas de pedra, pontas de lança e pontas de flecha, e, quando usado para esses fins, normalmente ganha o nome de "pederneira".

Usos mágicos: A obsidiana é uma pedra de concentração e de ligação com a terra. Segure-a em suas mãos, ou coloque os pés descalços sobre duas pequenas peças polidas, quando se sentir nervoso ou incapaz de botar sua vida física em ordem. Lembre-se – o físico é o caminho para o espiritual. Um é reflexo do outro.

A obsidiana é eficiente quando portada por seu usuário ou usada em rituais de proteção. Um deles envolve cercar uma vela branca com quatro pontas de flecha dessa pedra, uma apontada em cada direção. Isso assentaria as energias agressivas nos lugares em que devem ser assentadas.

Esferas de obsidiana ainda são usadas no México como ótimos objetos de vidência. Se você não obteve bons resultados com bolas de cristal de quartzo, experimente uma esfera de obsidiana. Para alguns, a cor negra da pedra permite o acesso mais fácil à mente subconsciente.

Olho de gato

Energia: Projetiva
Planeta: Vênus
Elemento: Terra
Poderes: Riqueza, beleza, jogos de azar, proteção, cura

Usos mágicos: Olho de gato é um nome aplicado a várias pedras diferentes, geralmente a um quartzo que contém amianto verde-oliva. O olho de gato asiático, entretanto, é uma forma de crisoberilo.

Essa pedra, que exibe um movimento luminoso opalescente, é um coadjuvante da beleza. Costuma ser usada ou portada para aumentar a beleza e preservar a juventude. Uma infusão de beleza pode ser preparada enchendo-se uma jarra de vidro verde com água mineral fresca, colocando-se nela um olho de gato e expondo ao sol por três a seis horas. Depois disso, remova a pedra. Lave o rosto com essa água todos os dias até que acabe, e use a pedra.

Olho de gato também é usado em magias para atrair dinheiro e riquezas. Possuir uma dessas pedras protege a riqueza do seu dono, além de aumentá-la enquanto a pedra for mantida. Geralmente é guardada junto com o dinheiro para essa finalidade. Não apenas evita a ruína financeira, como também recupera a riqueza perdida antes da posse da pedra. A olho de gato traz riqueza e é excelente talismã para jogadores.

Essa pedra incrustada em um anel de prata pode ser útil para a saúde mental, proteção, intuição e sorte. A pedra também afasta a depressão, dá prazer e deve ser usada durante planejamentos financeiros.

Por causa de sua semelhança com o olho, é usada para auxiliar a cura das doenças oculares.

Uma magia com olho de gato: Pegue uma nota do maior valor que tiver. Esfregue-a totalmente com o olho de gato, depois embrulhe a pedra bem apertada com a nota. Amarre a nota bem firme com linha verde e carregue-a no bolso para aumentar seu dinheiro. Não gaste essa nota até que a magia tenha funcionado.

Os assírios acreditavam que a olho de gato causava invisibilidade, por causa, talvez, da aparência refulgente da pedra.

Olho de tigre

Energia: Projetiva
Planeta: Sol
Elemento: Fogo
Metal associado: Ouro
Poderes: Dinheiro, proteção, coragem, energia, sorte, divinação

Tradição ritual/mágica: Soldados romanos usavam um olho de tigre gravado com símbolos para proteção nos campos de batalha.

Usos mágicos: O olho de tigre é uma pedra boa para atrair riquezas e dinheiro. Uma magia simples que traz dinheiro envolve energizar vários olhos de tigre com sua necessidade financeira. Disponha-os em volta de uma vela verde. Acenda a vela e visualize.

Elas também são carregadas para proteção contra todas as formas de perigo. Um cabochão de olho de tigre montado em ouro pode transformar-se em um belo anel ou pingente protetor.

Regido pelo Sol e exibindo uma luz dourada, o olho de tigre é usado para fortalecer convicções e para criar coragem e confiança.

Essa é uma pedra quente que promove o fluxo de energia através do corpo, quando usada. Também é benéfica para os doentes ou debilitados.

Sente-se ao ar livre em um dia de sol. Segure um olho de tigre em suas mãos e olhe para os flashes de luz. Silencie a mente consciente e olhe para o futuro. Ou então use a pedra como instrumento para mergulhar em vidas passadas.

Olivina

Outros nomes: Crisolita, *chrysolithus, lumahai* (havaiano)
Energia: Receptiva
Planeta: Vênus
Elemento: Terra
Metais associados: Ouro, ímã
Poderes: Dinheiro, proteção, amor, sorte

Tradição ritual/mágica: Uma tempestade selvagem varria a pequena ilha redonda de Kauai. Enfrentei o vento cortante e, passando por entre as árvores de pau-ferro, olhei para a praia Lumahai, em que partes do filme *South Pacific* foram feitas). Lumahai em havaiano significa "olivina". Enquanto enormes ondas estouravam a poucos metros de mim, ajoelhei-me na areia e vi incontáveis milhões de pequenos cristais verdes, misturados a fragmentos de coral, de lava e de conchas. Um ano depois, ajoelhei-me em Ka Lae, uma das Grandes Ilhas do Havaí, e recolhi, da areia vermelha, cristais de olivina ainda maiores. Nas proximidades, havia praias compostas apenas de olivinas.

Conversei sobre isso com vários peritos e eles não chegaram um consenso. Sobre qual questão? Se tais pedras seriam olivina ou peridoto. As duas pedras, dizem alguns, são idênticas; já outros dizem que a olivina tem cor mais para o verde-oliva e o peridoto puxaria para o verde mais claro.

As pedras, não importa sua origem, parecem ter quase a mesma cor, embora alguns afirmem que a olivina é um pouco mais escura.

Já que essa questão ainda não foi resolvida de forma satisfatória, pelo menos para mim, decidi incluir as duas neste livro em artigos separados.

A olivina é uma pedra verde, translúcida. Tem origem vulcânica e pode ser encontrada no mundo todo. Como mencionei na parte três, recetemente se descobriu olivina em meteoritos.

Usos mágicos: A olivina é uma pedra que atrai dinheiro. Faça círculos com a pedra em torno de uma vela verde ou use-a para atrair dinheiro para sua vida.

A areia de olivina pode ser comprada em lojas de presentes no Havaí. Se conseguir um pouco, coloque uma pitada em sachês para atrair dinheiro, ou coloque um punhado no bolso enquanto faz visualizações. Aqueles que trabalham no mundo dos negócios podem colocar uma pequena quantidade de olivina em suas mesas ou caixas registradoras. Ou então, ponha seu cartão comercial em um prato verde e cubra-o completamente com areia de olivina. Todos esses rituais também podem ser feitos com pedras de olivina.

Por causa da origem vulcânica, costuma ser usada para dar proteção, pois desvia a negatividade dirigida a seu usuário; é, portanto, usada como amuleto. Pequenas pedras facetadas de olivina, incrustadas em anéis de ouro, são os amuletos protetores ideais.

Quando incrustada em ouro, também é usada para proteger contra ladrões, assim como para criar uma visão positiva da vida.

Além disso, é uma pedra que atrai amor.

Finalmente, como todas as pedras verdes, é portada ou usada em encantamentos com o propósito de atrair sorte.

Ônix

Energia: Projetiva
Planetas: Marte, Saturno
Elemento: Fogo
Divindade: Marte
Pedra associada: Diamante
Poderes: Proteção, magia defensiva, redução dos desejos sexuais

Tradição ritual/mágica: Antigamente, acreditava-se que o ônix fosse a manifestação de um demônio aprisionado dentro da pedra. Esse demônio acordaria no meio da noite para espalhar terror e pesadelos entre todas as pessoas a seu alcance.

Achava-se que esse demônio provocava discórdia entre os amantes (veja a seguir porque a "discórdia" pode ocorrer se essa pedra for mal usada).

Usos mágicos: Ônix é uma pedra protetora, usada quando se enfrentam adversários em batalhas ou conflitos de todas as espécies – ou quando se está correndo por uma rua escura à meia-noite (não é bastante prática, essa magia?)

Em magia cerimonial clássica, a imagem da cabeça do deus Marte, ou a figura do herói Hércules, eram gravadas em ônix e usadas para dar coragem a seu portador.

Essa pedra serve como proteção e defesa contra a negatividade enviada conscientemente contra você. Embora coisas como ataques psíquicos e "feitiços" sejam raras e só existam na mente da "vítima", fazer rituais de defesa pode ser psicologicamente benéfico.

Uma magia defensiva: coloque um espelho quadrado em seu altar. Ponha uma vela púrpura na frente dele, de modo que a chama se reflita no espelho.

Carregue nove pedras de ônix com energia refletora ou defensiva. Coloque um pedaço de ônix à direita da vela a três polegadas de distância. Então, ponha mais oito pedras em semicírculo ao redor da vela, trabalhando da direita para a esquerda, até que a vela forme uma meia-lua com o ônix, voltada em sua direção, mas que deixe o espelho livre.

Acenda a vela. Visualize o ônix colhendo a negatividade e enviando-a para a chama da vela. Então, veja a chama agindo como uma lente, focalizando a negatividade e mandando-a para o espelho.

O espelho é uma porta para o plano espiritual. A energia negativa é mandada através dele de volta ao emissário original.

A proteção está garantida.

O ônix tem sido usado para reduzir os impulsos sexuais. Isso é perigoso, porque a atividade sexual é uma parte natural da vida. Quando reprimida, pode provocar doenças físicas e mentais, comportamento antissocial, ilusões religiosas e até tendências homicidas.

Os impulsos sexuais existem para dar prazer, para união com outros seres humanos e com o divino, e para continuação da vida humana. Sua supressão leva ao ódio, ao isolamento, e à perda de respeito por todas as formas de vida.

Entretanto, nestes tempos de contato sexual arriscado, talvez o ônix possa ser usado para ajudar a coibir urgências sexuais incontroláveis. Sexo, quando praticado regularmente com parceiros diferentes (sexo casual), pode ser psicologicamente viciante. Isso pode levar à negligência de outros assuntos, à disfunção sexual (impotência ou frigidez) e a doenças.

Se o desejo incontrolável for um problema, deite-se completamente vestido. Segure um pedaço de ônix a cerca de duas polegadas de sua virilha. Deixe que as vibrações calmas e espirituais invadam você. Visualize-se desejando menos sexo, lembrando que a qualidade – não a quantidade – é tudo o que importa. Faça isso alguns minutos por dia – mas não além de uma semana. Espere passar uma semana antes de repetir esse ritual.

Vale repetir que o ônix pode ser usado para dominar o desejo sexual quando não há possibilidade de realizá-lo com seu parceiro habitual, por exemplo no caso de longas separações físicas ou enfermidades.

Embora a autoestimulação (masturbação) possa e deva ser um alívio natural, muitos de nós precisamos da troca de energia com outra pessoa para nos realizarmos. O condicionamento social nos impregnou com a falsa noção de que a masturbação é suja, antinatural e provoca doenças.

Se esse for o caso e você não tiver acesso a relações sexuais, desperte sua própria sexualidade ou, não conseguindo, carregue um pedaço de ônix e segure-o a algumas polegadas de sua virilha, visualizando a diminuição do desejo.

Quando seu parceiro estiver disponível outra vez, estimule seu desejo sexual com um diamante, ou uma cornalina, para apreciar plenamente o contato.

As duas técnicas acima podem ser perigosas. Não devem ser realizadas sem cuidado. Jamais continue a usar ônix para reprimir seu desejo sexual por mais de um mês ou dois, e reabra o centro sexual depois disso.

Entretanto, não deixe que o ônix assuste você. Quando energizado para fins protetores, por exemplo, afeta o centro sexual de forma diferente. O sexo está ligado à sobrevivência de nossa espécie. Assim, ele "protege" a vida. Usar ônix, ou usá-lo em rituais de proteção, canaliza a energia sexual para dentro da pedra e daí cria proteção.

Uma alternativa segura, mas cara aos rituais mencionados, envolve ter um diamante – não importa o tamanho – incrustado em ônix. Quando o diamante (que é sexualmente estimulante) é cercado pelo ônix, um inibidor, ele simboliza controle sobre nossa natureza sexual.

Opala

Energias: Projetiva, receptiva
Planetas: Todos os planetas
Elementos: Todos os elementos
Divindade: Cupido
Erva associada: Louro
Poderes: Projeção astral, psiquismo, beleza, dinheiro, sorte, poder

Tradição ritual/mágica: Para muitos, a opala é uma pedra de infortúnios, tristeza e azar.

Essa é uma noção moderna, mas não é verdadeira. A causa da ideia infundada foi uma referência de *sir* Walter Scott, em seu romance *Anne of Geierstein,* ao infortúnio associado com a opala.

Usos mágicos: A opala contém as cores, assim como as qualidades, de qualquer outra pedra. Assim, pode ser "programada" ou carregada com virtualmente qualquer tipo de energia, e usada em magias que envolvam qualquer necessidade mágica.

No passado, as opalas eram usadas para criar invisibilidade. A gema era embrulhada em uma folha fresca de louro e carregada para essa finalidade.

Geralmente as pedras (e ervas) ligadas à invisibilidade eram, na verdade, usadas para promover a projeção astral, e a opala é ideal para isso. Não há espaço neste livro para descrever as diversas técnicas usadas para separar, conscientemente, o corpo astral do físico. Para isso, consulte um livro padrão, como o *Guia Prático da Projeção Astral* de Denning e Phillip.

É costume usar opalas durante a projeção astral para proteger e facilitar o processo.

São usadas também para recordar vidas passadas. Segure a opala em suas mãos e olhe para ela. Mova sua atenção de cor em cor, dentro da opala, até conseguir contato com sua mente psíquica. Quando isso ocorrer, volte no passado.

Muitos apreciam a opala no desenvolvimento dos poderes psíquicos; com esse propósito, quase sempre usam-se joias contendo essa pedra. Brincos são o formato ideal.

As opalas também são usadas para trazer à tona a beleza interior.

Uma magia de beleza: coloque um espelho redondo no altar ou atrás dele, de modo que você possa observar-se nele estando ajoelhado. Coloque duas velas verdes, uma em cada lado do espelho. Acenda as velas. Energize uma opala com sua necessidade de beleza – enquanto segura a pedra, olhe para seu reflexo no espelho. Com o bisturi de sua visualização, modele e forme seu rosto (e seu corpo) no formato que desejar.

Depois, porte ou use a opala e dedique-se a melhorar sua aparência.

Opalas de fogo são frequentemente usadas para atrair dinheiro. Podem ser carregadas ou colocadas ao lado de velas verdes, que são queimadas durante a visualização. Se você possui um negócio, coloque uma opala de fogo dentro da construção em que ele se localiza, depois de energizá-la para funcionar como um ímã atrator de clientes.

Magos e praticantes de Wicca apreciam as opalas pretas como pedras de poder. São aplicadas em joalheria ritual e destinadas a aumentar a quantidade de poder estimulado e liberado do corpo, durante a magia.

Pederneira

Outros nomes: Pedra do trovão, tiro de elfo, tiro de fada, flecha de elfo, pedra adder
Planeta: Marte
Elemento: Fogo
Metal associado: Prata
Poderes: Proteção, cura, clarividência

Tradição ritual/mágica: Pederneira, termo aplicado de modo vago a variedades de quartzo opaco, era largamente utilizada em rituais mágico-religiosos pelos índios norte-americanos. Entre os cherokee, por exemplo, a pederneira era invocada pelos xamãs antes de tratamentos medicinais.

A pederneira foi um dos primeiros artigos de troca dos povos primitivos, e era bastante utilizada para fazer lâminas. Antigas facas de pederneira encontradas por toda a Europa eram, e ainda são, usadas como amuletos protetores. Eram conhecidas como "pedras do trovão" e "tiro de elfo", indicando que suas antigas origens permanecem desconhecidas.

Os irlandeses montavam facas de pederneira em prata e carregavam-nas para proteger-se contra "fadas mal-intencionadas". Na Escandinávia, facas de pederneira eram homenageadas como "deuses" familiares. Costumava-se despejar cerveja e manteiga derretida sobre essas pedras, semelhante ao modo como se reverenciam estátuas sagradas na Índia contemporânea.

Usos mágicos: Conforme mencionado, antigos objetos de pederneira são amuletos protetores. Acredita-se que sejam especialmente eficazes quando colocados acima das portas.

Se você conseguir uma antiga faca de pederneira (ou réplica moderna), coloque-a no altar ou segure-a durante rituais de proteção.

A pederneira é usada no Brasil moderno para encontrar ouro, água, pedras-gemas e outros tesouros subterrâneos.

Uma moderna magia americana com pederneira: para curar uma dor de cabeça, bata em uma pederneira várias vezes. Quando voarem faíscas, visualize a dor saindo de sua cabeça, entrando nas faíscas e se dissipando com elas.

Pedra da lua

Energia: Receptiva
Planeta: Lua
Elemento: Água
Divindades: Diana, Selene, Ísis, todas as deusas lunares
Pedra associada: Cristal de quartzo
Metal associado: Prata
Poderes: Amor, divinação, psiquismo, sono, jardinagem, proteção, juventude, dietas

Tradição ritual/mágica: A pedra da lua, um feldspato azul, branco ou rosa opalescente, está intimamente conectada com a Lua na tradição mágica. Tanto é assim que muitos a usam de acordo com as fases lunares. Alguns alegam que ela é mais potente durante a lua crescente, e menos durante a minguante. Outros, entretanto, usam essa pedra quando a lua começa a minguar, em rituais de divinação tais como o descrito a seguir.

A pedra da lua há muito é dedicada às deusas da Lua. Joias rituais da religião Wicca são todas feitas de prata e pedras da lua. Pode-se construir um bastão lunar com um tubo de prata fechado, na extremidade, por uma grande pedra da lua. Ele é usado em rituais mágicos.

Usos mágicos: Essa pedra é receptiva e atrai amor. Use-a ou carregue-a consigo para atrair amor para sua vida. Numa noite de lua cheia, ao luar, circunde uma vela cor-de-rosa com essas pedras. Acenda a vela e visualize-se tendo um relacionamento amoroso.

A pedra da lua também é apreciada por sua capacidade de resolver problemas entre amantes, especialmente entre aqueles que brigaram amargamente. Segure uma pedra da lua, energize-a com vibrações de amor e ofereça a seu companheiro. Melhor ainda: compartilhe esse ritual com ele ou ela, trocando as pedras entre si.

Por causa de suas associações com a Lua, aquela que traz o sono, costuma-se colocá-la embaixo do travesseiro, ou usam-se contas dessa pedra na cama, a fim de assegurar um sono tranquilo.

Assim como a malaquita e o jade, a pedra da lua está associada com a jardinagem. Use durante a jardinagem ou a rega, ou então enterre no jardim uma pedra pequena, enquanto o visualiza explodindo de fertilidade. Para induzir uma árvore a dar bastantes frutos, amarre uma pedra da lua em um de seus galhos.

Essa pedra também é suavemente protetora. Como a Lua parece viajar pelo Zodíaco, é considerada a pedra protetora dos viajantes. Use ou carregue uma, quando estiver longe de casa, em especial em viagens sobre, ou pela, água. É o presente ideal para marinheiros profissionais ou não, e para amigos que vão fazer um cruzeiro. Carregue a pedra com energias protetoras antes de presenteá-la. Anéis de pedra da lua podem ser usados durante a natação para proteger a pessoa na água.

Um antigo ritual para determinar eventos futuros pode ser realizado pelo menos três dias antes da lua cheia. Segure uma pedra da lua em suas mãos enquanto visualiza um futuro plano de ação, tal como vender uma casa ou aceitar um novo emprego.

Então, coloque a pedra da lua debaixo da língua e continue a visualizar. Depois de alguns momentos, retire a pedra e encerre seu esforço consciente para reter a imagem. Se ela permanecer, ou se seus pensamentos voltarem a girar em torno do possível plano, significa que ele é favorável. Se sua mente se voltar para outros assuntos, é melhor escolher um plano de ação diferente.

Em caso de dúvida, repita o ritual.

Contas ou pingentes de pedra da lua são usados em atos de divinação para produzir o psiquismo em geral. Os videntes guardam suas pedras da lua junto com as cartas de tarô ou pedras de runas, para aumentar a capacidade de usar tais ferramentas. Uma bola de cristal de quartzo também pode ser cercada por pedras da lua antes da vidência.

Essa pedra é usada em rituais destinados a renovar ou manter aparência e atitudes jovens (o que pode ser mais convincente do que a aparência exterior).

Se você está tentando perder peso, talvez as pedras da lua possam ajudar. Não faça dieta – reprograme seus hábitos alimentares. Faça refeições a intervalos regulares, evite açúcar e gorduras, consuma menos carne vermelha, farte-se de verduras cruas, ou cozidas no vapor, e de frutas frescas – e use uma pedra da lua.

Três noites depois da lua cheia, fique de pé frente a um espelho de corpo inteiro, com a luz acesa e sem roupa. Estude seu corpo minuciosamente, com o auxílio de outro espelho, se necessário. Para realizar essa magia com sucesso, você precisa conhecer a si mesmo, aceitar seus defeitos e depois se permitir mudar.

Seja brutal em sua autoanálise. Veja as áreas que deseja reduzir em seu corpo, visualize sua nova imagem – mais magro, no controle do alimento que ingere e completamente cheio de vida.

Depois, segure uma pedra da lua em sua mão projetiva, enquanto continua a visualizar o corpo e a disciplina que deseja ter.

Esfregue a pedra da lua nas áreas problemáticas de seu corpo e veja-as indo embora. Passe-a sobre sua cabeça para ajudar a controlar as urgências de comer alimentos não saudáveis e gordurosos.

Finalmente, use ou carregue a pedra sempre com você. Quando tiver desejo de comer *cheesecake*, pegue a pedra em sua mão receptiva, respire fundo por dez segundos, afaste a imagem da comida de sua mente – e então agarre um suculento pêssego ou um crocante palitinho de cenoura.

Pedra de cachimbo

Outros nomes: *Inyan-sha* (sioux: *Inyan*, pedra, *sha*, vermelha)
Elemento: Fogo
Erva associada: Kinnickkinnick (casca de salgueiro vermelho)

Tradição ritual/mágica: Há séculos, a pedra de cachimbo é usada pelos sioux e pelos omaha em rituais e em magia.

É uma curiosa pedra circular, avermelhada, que apresenta um furo natural. Por causa da cor, é considerada sagrada (vermelho é a cor do sangue e, portanto, da vida.)

Para os sioux, a pedra de cachimbo está relacionada com o Norte. O vermelho é a cor daquela direção. Ambos simbolizam a terra e o sangue de seus filhos – as pessoas.

Uma lenda sioux: certa vez, uma enorme enchente inundou os prados. Poucas pessoas conseguiram escapar subindo a colina, mas a enchente as afogou. A colina desmoronou sobre as pessoas, esmagando-as e formando uma poça de sangue.

A pedra de cachimbo seria o resto petrificado daquela poça, e só pode ser encontrada em uma única região do mundo: Minnesota. Essa substância não apenas simboliza o povo sioux, ela é o povo sioux. A pedra de cachimbo era, e ainda é, usada para fazer cachimbos sagrados, nos quais se fuma *kinnickkinnick* (casca de salgueiro vermelho).

Usos mágicos: Se você tiver a sorte de possuir uma dessas pedras, veja-a como um objeto sagrado. Respeite os costumes dos sioux e dos omaha. Um pedaço de pedra de cachimbo pode ser colocado em sacos medicinais ou de poder, ou ainda no altar durante rituais, especialmente os de paz. Eu jamais ousaria usar a sagrada pedra de cachimbo em meu corpo.

Pedra-de-sangue

Outros nomes: Heliotrópio, hematita (que é uma pedra diferente)
Energia: Projetiva
Planeta: Marte
Elemento: Fogo
Erva associada: Heliotrópio (*Heliotropum europaeum*)
Poderes: Estancar sangramento, cura, vitória, coragem, assuntos legais, força, poder, negócios, invisibilidade, agricultura

Tradição ritual/mágica: A pedra-de-sangue, uma calcedônia verde com pontinhos vermelhos, é usada em magia há pelo menos 300 anos. Na antiga Babilônia, a pedra era carregada para vencer inimigos, e no Egito antigo era usada para abrir portas, quebrar junturas e até derrubar paredes de pedra.

Seu uso mais famoso, entretanto, é o de estancar sangramentos. Era frequentemente portada por soldados para evitar ferimentos, ou como primeiro socorro mágico. Quando pressionada contra feridas, a pedra estancava o sangramento. Embora isso fosse considerado simples magia, o efeito provavelmente se devia à pressão e à fria temperatura da pedra. Hoje ela ainda é usada para manter o sangue saudável e para ajudar a curar doenças relacionadas ao sangue. Acredita-se que uma dessas pedras apertadas contra o nariz tenha o poder de "trancá-lo", isto é, de estancar o fluxo de sangue.

Também é usada para curar febres e como talismã para trazer saúde em geral.

Usos mágicos: Por causa de suas associações com o sangue, é uma pedra muito popular entre os atletas. Eles a usam para aumentar a força física e para vencer competições. Também é usada para prolongar o tempo de vida.

Se usada no dia a dia, uma pedra-de-sangue dá coragem, acalma os medos e elimina a raiva. Há tempos faz-se uso dela em magias destinadas a assegurar vitórias na justiça e em assuntos legais.

Por ser verde, é utilizada nos rituais de negócios, para atrair riquezas e dinheiro. Uma pedra-de-sangue mantida na caixa registradora atrai dinheiro. Carregada no bolso ou na bolsa, ou usada no corpo, também atrai riqueza. Desse modo, como comida e dinheiro estão magicamente conectados, ela era o talismã dos fazendeiros da Idade Média, usado durante a plantação para aumentar a colheita.

As mulheres penduravam uma pedra-de-sangue no braço para evitar aborto e, mais tarde, na coxa para facilitar o parto.

Para invisibilidade, a pedra-de-sangue era esfregada com flores frescas de heliotrópio, e depois, carregada ou usada no corpo. Acreditava-se que isso cegasse os olhos de quem olhasse para o portador da pedra. Hoje, tal ritual pode ser usado para "invisibilidade mágica" – quando você deseja permanecer discreto e não atrair atenção para si mesmo.

No século XIII, as pedras-de-sangue eram entalhadas com a figura de um morcego. Esses talismãs eram usados pelos magos para aumentar a eficiência dos encantamentos e rituais mágicos.

Pedra do sol

Energia: Projetiva
Planeta: Sol
Elemento: Fogo
Pedra associada: Pedra da lua
Metal associado: Ouro
Poderes: Proteção, energia, saúde, energia sexual

Tradição ritual/mágica: Existem pelo menos duas pedras chamadas pedra do sol. Uma é uma forma translúcida de quartzo que apresenta um tom levemente alaranjado: é a pedra do sol do Oregon.

Antigamente, havia um tipo de feldspato importado da Índia que era conhecido pelo mesmo nome. De certa forma, a pedra lembrava uma opala laranja por causa de seu lampejo ardente multicolorido. Foi a única espécie a ser usada em magia nos tempos antigos.

Na Renascença, essa pedra era frequentemente associada ao Sol, devido a suas cores brilhantes, em tons de laranja dourado. Costumava ser incrustada em ouro e usada para atrair as influências do Sol para o mago.

Simbolicamente, a pedra do sol está ligada à pedra da lua.

Usos mágicos: Durante as pesquisas para este livro, encontrei diversas referências a essa pedra, mas nenhuma informação concreta. Mas finalmente, em uma exposição de pedras, encontrei um negociante que tinha algumas pedras do sol – a pedra do sol do tipo antigo de feldspato. Eu disse que jamais havia visto uma delas antes – o vendedor, entretanto, alegou que já a possuía há mais de 20 anos. Elas eram lindas e eu, avidamente, trouxe-as para casa.

A pedra do sol, assim como a maioria das pedras brilhantes e refletivas, é usada para proteção. Coloque uma na casa diante de uma vela branca para espalhar as energias protetoras por todo o lar.

Uma dessas pedras, colocada em um saquinho com ervas medicinais, aumenta a energia delas. Porta-se uma pedra do sol também para emprestar energia física extra ao corpo em tempos de estresse ou de doença.

Se usada perto da região sexual, estimula o desejo sexual e aumenta a energia.

Infelizmente, o uso da pedra do sol em magia parece ter caído no esquecimento. Nenhum livro de magia moderno que li faz referência a ela, nem mesmo de passagem. Se encontrar alguma, guarde-a como um tesouro.

Pedras furadas

Outros nomes: Pedras furadas, pedras sagradas ou pedras de Odin
Energia: Receptiva
Elemento: Água
Divindades: Odin, a Grande Mãe
Poderes: Proteção, saúde, psiquismo, visão, evita pesadelos

Tradição ritual/mágica: Nos Eddas, Odin transmutou-se em verme e fugiu por um buraco para roubar "o néctar da poesia". Talvez por causa desse mito, as pedras furadas sejam conhecidas como "pedras de Odin".

Usos mágicos: Em um dia de vento forte, fiz uma longa viagem de carro para fora da cidade até uma ponta de terra que se lançava sobre o Oceano Pacífico. Arrastando-me sobre rochas salientes e cobertas pela espuma das ondas do mar, cheguei até uma praia bem isolada. Fiquei de pé, ofegante, e olhei para baixo. Lá, exibindo-se abertamente na areia branca brilhante, havia dúzias de pedras furadas. Apanhei uma, agradeci à Deusa por esse presente e levei-a para casa para colocá-la em meu altar para que representasse "Ela", a Mãe de toda a Criação.

Pedras com buracos naturais produzidos pela erosão, pelo vento, pelas ondas, por criaturas marinhas ou por outros meios, sempre foram valorizadas como objetos protetores.

Há inúmeros usos populares para essas pedras. Costumava-se pendurá-las nas cabeceiras das camas para evitar pesadelos. Na Inglaterra, pedras furadas eram amarradas com fitas vermelhas e penduradas sobre a cama com a mesma finalidade, até os anos recentes. Esse parece ser um verdadeiro remanescente da magia antiga, que ainda pode ocorrer hoje em dia.

Para proteção mágica, as pedras furadas eram usadas ao redor do pescoço, colocadas dentro de casa ou penduradas na porta da frente. Pendurar uma perto de onde dorme um animal de estimação serve para protegê-lo.

Para ajudar o processo de cura do organismo, energize uma pedra furada para absorver a doença. Coloque essa pedra em uma banheira com água morna salgada e deixe-a imersa ali por alguns minutos. Repita uma vez por dia durante uma semana. Limpe a pedra depois disso e repita quando necessário.

Na Inglaterra, as curandeiras empregavam pedras furadas em rituais de cura de crianças. A curandeira esfregava o corpo da criança doente com a pedra, removendo magicamente a doença, que era absorvida pela pedra. Esse ritual curioso era realizado também com adultos para manter a saúde. Outro poder residente dentro dessas pedras é a ampliação do psiquismo. Em um lugar selvagem e solitário, de preferência ao luar, segure uma pedra furada na altura de um de seus olhos. Feche o outro olho e espie através da pedra. Você poderá ter visões, ver fantasmas ou entidades não físicas.

Por fim, a ação de olhar através das pedras furadas – à luz do dia, mesmo em casa – pode também melhorar sua visão.

Pedra de cruz

Outros nomes: Pedra de cruz, cruzes das fadas
Energias: Projetiva, receptiva
Poderes: Magia elemental, poder elemental, sorte.

Tradição ritual/mágica: Depois de passar seis meses na Califórnia, uma amiga minha retornou trazendo consigo, entre outras maravilhas, um pedaço de pedra de cruz. Embora ela a chamasse de "cruz da fada" (ou cruzes das fadas), eu a reconheci como a pedra de cruz.

Os xamãs sempre incluíam um pedaço dessa pedra em sua bolsa medicinal ou de poder, e é um dos itens prediletos para ser oferecido aos outros como brinde.

Usos mágicos: A pedra de cruz, aparentemente uma forma de andalusita, é encontrada em cristais brutos. Quando são quebrados, abertos ou fatiados, exibem um padrão simétrico de cruz, de cores claras e escuras alternadas.

Por causa de sua forma, a pedra de cruz é usada ou portada por aqueles que praticam magia elemental, ou por aqueles que desejam equilibrar os quatro elementos dentro de si mesmos.

Pode ser portada, usada ou colocada no altar para conferir poder a rituais mágicos de todos os tipos e, assim como todas as pedras que ostentam formas ou padrões incomuns, para dar sorte.

Peridoto

Outros nomes: Crisolita, peridote, peridoto
Energia: Receptiva
Planeta: Vênus
Elemento: Terra
Metal associado: Ouro
Poderes: Proteção, saúde, riqueza, sono

Usos mágicos: Como mencionei no artigo sobre olivina, essas duas pedras parecem ser quase idênticas. Uma autoridade me disse que a única diferença entre peridoto e olivina é que essa última vem do Haiti.

Seja lá como for.

Para ser mais eficiente magicamente, o peridoto era incrustado em ouro. Tinha-se então um amuleto de proteção fino e caro, que os mais velhos diziam proteger contra encantamentos e terrores noturnos, assim como contra o universalmente temido olho gordo, ou ataque psíquico inconsciente.

Embora há muito associado com o Sol, eu o atribuí a Vênus aqui porque o peridoto me parece mais adequado a esse planeta.

O peridoto é usado ou carregado para fins de cura em geral. Várias fontes afirmam que xícaras ou taças feitas de peridoto eram usadas para cura, uma vez que os líquidos medicinais bebidos nelas seriam mais eficientes.

Diz-se que o peridoto cura picadas de insetos e que ajuda nos males do fígado.

A pedra é usada para atrair amor, assim como para aplacar a ira. Também serve para acalmar o nervosismo e para dissipar emoções negativas. Por ser calmante do sistema nervoso, ajuda a promover o sono, quando posta na cama. Esses usos remontam à época dos antigos romanos, quando anéis de peridoto eram empregados para aliviar a depressão.

Seu tom esverdeado sugere a aplicação em magias para atrair dinheiro. Todos os usos mágicos associados à olivina aplicam-se ao peridoto.

Pérola

Outros nomes: Margan (persa antigo), Neamhnuid (gaélico)
Energia: Receptiva
Planeta: Lua
Elementos: Água, Akasha
Divindades: Ísis, Afrodite, Freya, Vênus, Lakshmi, Diana, Netuno, Poseidon: todas as divindades oceânicas, embora a pérola seja mais especificamente orientada para as deusas; também associada com as deusas do céu.
Metal associado: Prata
Pedra associada: Rubi
Poderes: Amor, dinheiro, proteção, sorte

Tradição ritual/mágica: A pérola, assim como âmbar, carvão fossilizado, fósseis, madrepérola e outras substâncias usadas em magia, é produto de uma criatura viva. Uma vez que a ostra precisa ser morta para que se retire a pérola, alguns acreditam que há um pesado débito da parte daqueles que se ocupam do tráfico de pérolas e daqueles que as usam.

A escolha é sua: usar pérolas em magia (se tiver condições de obtê-las), ou não. Ao apresentar essas informações tradicionais sobre magia reunidas do mundo todo, não estou, certamente, advogando seu uso.

A tradição popular de relacionar as pérolas com má sorte pode estar ligada à violência de sua extração. Você saberá intuitivamente se deverá usá-las ou não. Eu não usaria, e não é apenas porque não posso pagar por elas.

A aparência fantástica e surpreendente da pérola dentro de uma ostra sempre inspirou a tradição mágica e religiosa, embora sejam, em algumas partes do mundo, consideradas um incômodo para aqueles que comem ostras.

Misticamente, as pérolas simbolizam a Lua, a água, o centro da criação e do Universo.

No passado eram incrivelmente caras, mas agora praticamente todas as pérolas são "cultivadas" pelos japoneses e estão disponíveis a preços razoáveis. Pérolas naturais praticamente não existem mais, exceto aquelas de mais de cem anos atrás. Infelizmente as pérolas cultivadas, produzidas introduzindo-se um pedaço de concha em uma ostra viva, são principalmente concha, não pérola, e não são tão potentes magicamente como as pérolas naturais. Mas o uso mágico delas sobrevive.

Pérolas de água fresca, produzidas nos Estados Unidos, têm basicamente as mesmas qualidades que as pérolas do mar.

Mitologicamente, as pérolas eram dedicadas pelos romanos a Ísis, depois que seu culto foi importado do Egito. Eram usadas para obter favores da deusa.

Acreditava-se que elas eram lágrimas congeladas de Freya, na antiga religião saxônica, e a Deusa, na Síria antiga, era chamada de a Senhora das Pérolas. Em toda a região mediterrânea, as pérolas eram associadas a várias manifestações da Deusa, uma síntese de tudo o que é feminino, criativo e relacionado à nutrição – o aspecto feminino da divindade.

Antigamente, acreditava-se que as pérolas fossem gotas de chuva engolidas pelas ostras. Segundo a antiga crença chinesa, as pérolas caíam do céu quando os dragões lutavam entre as nuvens (ou seja, durante as tempestades), e isso tem relação com a ideia das gotas de chuva. Dragões e pérolas estão intimamente conectados no pensamento chinês.

Usos mágicos: As pérolas são intimamente ligadas à Lua, tanto que algumas pessoas as usam em magia apenas à noite, durante o domínio da Lua. Por causa dessa conexão com a energia lunar, elas são geralmente usadas por mulheres e raramente por homens.

Sempre foram usadas em magia de amor ou portadas para espalhar vibrações amorosas. Na Índia, as mulheres usam pérolas como garantia mágica de um casamento feliz.

Uma magia de dinheiro bastante simples envolve comprar uma pérola barata, a mais barata que puder encontrar. Depois de sintonizar-se com ela e de agradecer pelo sacrifício da ostra, segure-a bem apertado em sua mão e visualize o dinheiro fluindo em sua vida. Veja a si mesmo usando-o de maneira sábia. Dinheiro é energia, e a energia desperdiçada deixa muito pouco em seu lugar.

Ainda visualizando, atire a pérola em um riacho, no oceano ou em qualquer curso d'água. Quando a pérola entra em contato com o elemento, ela dá início ao processo de manifestar sua necessidade.

Essa antiga magia era realizada de forma ligeiramente diferente – a pérola era atirada em um monte de lixo, como ato simbólico de magia. Obviamente, alguém que pode jogar pérolas fora é rico. A ação, então, criaria a condição desejada.

Em todo o Pacífico Sul, nadadores e mergulhadores utilizam as pérolas como proteção mágica contra ataques de tubarão. Também é poderoso protetor doméstico contra incêndios.

Para dar sorte em geral e atrair boa fortuna, coloque várias pérolas em torno de um rubi e use-o.

Em várias épocas e em diferentes partes do mundo, as pérolas têm sido usadas para prolongar a vida, promover a fertilidade, afastar demônios, preservar a saúde e dar força física.

As pérolas são encontradas em diferentes tonalidades. Cada cor, certamente, tem usos mágicos específicos: pérolas negras, assim como as de tonalidade azulada, trariam sorte a seu proprietário (mas não à ostra, claro). As cor-de-rosa são usadas para proporcionar uma vida fácil e confortável. Pérolas amarelas, para os hindus, trazem riqueza, enquanto que as vermelhas promovem a inteligência.

Pedra-pomes

Energia: Projetiva
Planeta: Mercúrio
Elemento: Ar
Poderes: A pedra-pomes, um produto vulcânico, é uma substância curiosa. Clara e rústica ao toque (há um tipo de sabão que alega conter pedra-pomes para ajudar a limpar mãos muito sujas), também possui a propriedade única de flutuar na água.

Antigamente, mulheres durante o parto apertavam essa pedra nas mãos, ou usavam-nas no corpo para facilitar a passagem da nova vida para este mundo.

Uma magia de banimento: pegue um pedaço de pedra-pomes e segure-o em sua mão projetiva. Visualize o problema de que deseja se livrar – um hábito prejudicial, uma emoção negativa, algum mal físico, ou um amor indesejado.

Enquanto segura a pedra, por meio de visualização, envie a energia que está por trás de seu problema para a pedra-pomes. Você pode imaginá-la como rolos espessos de fumaça preta, com a consistência de um melado, fluindo para dentro da pedra porosa. Então, atire a pedra dentro de um lago, riacho, oceano ou qualquer curso d'água. Ao atingir o líquido, ela libera nele o problema e suas causas.

Por flutuar na superfície, a pedra-pomes fortalece a habilidade de "passar por cima" de toda e qualquer condição negativa. Se não tiver acesso a cursos d'água, encha uma bacia ou um balde grande com água e faça o ritual; depois jogue a água com pedra e tudo na terra.

A pedra-pomes pode ser colocada no altar durante alguma magia de proteção, ou em casa, como uma esponja energética. Energize-a com a propriedade de absorver a negatividade.

Rodocrosita

Energia: Projetiva
Planeta: Marte
Elemento: Fogo
Poderes: Energia, paz, amor

Usos mágicos: É costume portar ou usar essa bela pedra rosa para dar energia extra em ocasiões de extrema atividade física.

É também um calmante para as emoções e para o corpo, ótima para eliminar o estresse. Para um banho relaxante, coloque um pedaço de rodocrosita na banheira ou use a pedra durante o banho.

Lembre-se de energizar a pedra e de sintonizá-la com sua necessidade mágica, mesmo que isso não pareça fazer sentido, considerando-se o primeiro uso mágico aqui citado.

Pode-se também portar a rodocrosita para atrair amor.

Rodonita

Energia: Projetiva
Planeta: Marte
Elemento: Fogo
Poderes: Paz, contra confusão

Usos mágicos: Use rodonita para ficar calmo, afastar confusões, dúvidas e incoerências.

A rodonita também é uma ótima pedra para usar ou carregar consigo, a fim de fechar os centros psíquicos.

Essa pedra avermelhada, geralmente com veios de linhas pretas, também pode ser usada para promover o equilíbrio dentro da magia com pedras, seja xamânica ou wiccana.

Rubi

Outros nomes: Carbúnculo
Energia: Projetiva
Elemento: Fogo
Divindades: Buda, Krishna (não confundir com a moderna expressão de reverência dirigida a Krishna)
Poderes: Riqueza, proteção, poder, alegria, contra pesadelos

Tradição ritual/mágica: Séculos atrás, o rubi feito um cabochão de qualquer formato era conhecido como "carbúnculo". Não há nenhuma pedra com esse nome, embora muitos livros citem o carbúnculo como uma pedra diferente. Mais um exemplo da história estranhamente tortuosa das pedras-gemas!

Essa bela pedra era considerada a mais perfeita oferenda para Buda, na China, e para Krishna, na Índia.

Uma crença bastante difundida: sonhar com rubis indica sucesso nos negócios ou a chegada de dinheiro. Se um jardineiro ou fazendeiro sonhar com um rubi é sinal de boa colheita.

Essa pedra é uma das muitas que se acredita ficar mais escura, quando perigo, negatividade ou doença ameaçam seu proprietário. Não está bem determinado se esse escurecimento é fisicamente visível, simbólico ou uma verdadeira mudança na cor, ou na claridade da pedra, mas é provavelmente um fenômeno físico. Nesse sentido, o rubi pode ser usado como ferramenta de vidência, assim como a maioria das pedras transparentes.

Usos mágicos: Rubis são pedras verdadeiramente preciosas. Espécies perfeitas, de tom vermelho sangue profundo, são incrivelmente caras.

Rubis de qualidade inferior estão disponíveis a custos acessíveis e podem ser usados em magia, assim como os substitutos mencionados na parte quatro.

Na magia praticada no século XIII, os rubis eram considerados pedras capazes de aumentar a riqueza. Eram especialmente eficientes se entalhados com a imagem de um dragão, ou de uma cobra, antes de ser usados.

A antiga magia da Índia afirma que possuir rubis ajuda seu dono a acumular outras pedras preciosas, talvez por causa das qualidades geradoras de riqueza da pedra.

Acreditava-se que, se usado, o rubi garantia invulnerabilidade ou proteção contra todos os inimigos, espíritos ruins, negatividade, pragas, fascinação (manipulação mágica) e escassez. Era também um mascote especial para soldados, protegendo contra ferimentos em batalha. Basicamente, o rubi fortalece a defesa psíquica do próprio organismo.

Em casa, o rubi protege contra tempestades e negatividade, especialmente se você tocar com ele os quatro cantos da casa.

Do mesmo modo, tocar magicamente as árvores, ou os limites de um jardim, protege-os de raios e dos efeitos de tempestades violentas.

Regido por Marte, o rubi é usado em rituais mágicos para aumentar as energias disponíveis para uso do mago, ou então é colocado no altar ao lado de uma vela vermelha para conferir energia a você quando estiver se sentindo deprimido ou esgotado.

Em uma linha similar de influência mágica, diz-se que usar um rubi eleva a temperatura do corpo.

Joias feitas com rubis são usadas para afastar a tristeza e os padrões negativos de pensamento. Tais joias também produzem alegria, aumentam a força de vontade e a confiança, além de dissipar o medo.

Colocado debaixo do travesseiro ou na cama, assegura um sono reparador, livre de pesadelos.

Os rubis estrelados, essas pedras raras que apresentam a forma natural de uma estrela de seis pontas, são considerados particularmente potentes em magia protetora e em outras formas de magia, pois se acreditava que um espírito habitava dentro delas. Rubis estrelados também podem ser usados como instrumentos de vidência, se olharmos para as linhas de luz cruzadas.

Safira

Outros nomes: Pedra sagrada, safira estrelada: *Astrae*
Energia: Receptiva
Planeta: Lua
Elemento: Água
Divindade: Apolo
Poderes: Psiquismo, amor, meditação, paz, magia defensiva, cura, poder, dinheiro

Tradição ritual/mágica: Os gregos identificavam a safira com Apolo e usavam-na ao consultar os oráculos, como o famoso Oráculo de Delfos.

Usos mágicos: Essa pedra é usada para estimular o terceiro olho a fim de expandir a consciência psíquica. A antiga prática grega, mencionada anteriormente, parece indicar que até eles sabiam das habilidades que a safira possui no acesso da mente subconsciente.

A safira é uma guardiã do amor. Assim, promove a fidelidade e harmoniza os sentimentos entre os amantes. Antigamente, era também usada para banir a inveja, promover interações sociais positivas e reconciliar-se com inimigos; a safira pode ser usada para todos os fins dentro de qualquer tipo de relacionamento, não apenas o conjugal.

Essa pedra já foi usada para promover a castidade, algo provavelmente relacionado ao fato de que a castidade pode ser vista como falta de atividade sexual fora de um relacionamento estável. Acredita-se que as safiras estreladas sejam especialmente eficientes para atrair, ou induzir, o amor.

A safira apresenta um relaxante tom azul. É usada durante a meditação ou contemplada para expandir o conhecimento. Quando usada, essa pedra promove a paz. O autor de manuscritos do final dos anos de 1300, pseudo-Albertus Magnus, afirmou que essa pedra acalmaria o "fervor interno" ou a raiva ao ser utilizada.

Seu uso em magia defensiva remonta à Antiguidade. Acreditava-se que ela era capaz de "afastar males e demônios" e hoje é usada em joias de proteção e durante rituais destinados a mandar a negatividade de volta a quem enviou.

Um tipo de poder relacionado a este último, atribuído à safira, é sua lendária capacidade de livrar seu proprietário da prisão. Atualmente, é apreciada por aqueles envolvidos em litígios e em assuntos legais, possivelmente porque acaba com as fraudes. Mas a pedra só funcionará se seu usuário estiver sendo honesto.

A safira é utilizada na cura do corpo, especialmente dos olhos, que são fortalecidos por sua presença. Também abaixa as febres e, quando apertada contra a testa, estanca o sangramento nasal.

As safiras também são usadas como protetoras gerais da saúde, pois, como diz Budge em *Amulets and Talismans*, quanto mais forte e saudável o corpo, menos chance de ser atacado por "espíritos ruins" (leia-se: doenças, infecções).

Um antiga obra de Bartholmaeus diz: "Até as bruxas adoram essa pedra, pois acreditam poder fazer certas maravilhas com as virtudes dela". É usada em rituais para fortalecer a habilidade do mago em acessar e enviar o poder.

Geralmente usadas como joias, as safiras também são utilizadas em rituais para atrair dinheiro e riqueza. Em antigos cerimoniais de magia, a imagem de um astrolábio era gravada na gema para aumentar a saúde.

Magisticamente falando, estrelas de safira são consideradas mais potentes para todos os usos.

Sal

Energia: Receptiva
Elemento: Terra
Divindade: Afrodite
Erva associada: Ki ou ti (Cordyline terminalis)
Poderes: Purificação, proteção, ligação com a terra, dinheiro

Tradição ritual/mágica: Há muito o sal é considerado uma substância sagrada. Tirado de minas, ou separado da água do mar por meio de evaporação em reservatórios rasos, está intimamente relacionado à vida e à morte, à criação e à destruição, e ao aspecto feminino das energias da Terra.

O sal é um mineral de estrutura cristalina, e por isso tem lugar neste livro. Olhe para o sal ao microscópio e verá que ele é composto de cubos de seis lados regulares. Essa estrutura quadrada relaciona o sal à terra.

Seu uso religioso atravessa as eras. O sal, frequentemente oferecido às divindades, era bem aceito por causa de sua escassez e pureza. Em algumas partes do mundo, como na Roma antiga e na Abissínia, o sal era usado como moeda.

Ele é necessário à vida, embora seu excesso possa causar a morte, do mesmo modo que colocar sal na terra destrói-lhe a fertilidade. Serve para esterilizar, purificar e limpar.

Relacionado ao elemento terra (assim como a água do mar, que é uma combinação dos dois elementos), o sal é uma poderosa ferramenta mágica. A água salgada é, às vezes, usada como substituto mágico para o sangue, quando ele era exigido em antigos rituais (observação: quaisquer substitutos do sangue, tais como cidra de maçã, ou ovos frescos ou fertilizados, podem ser usados em rituais dessa natureza. Abrir veias é uma prática mágica perigosa e desnecessária, e sacrificar qualquer forma de vida, além de inútil, faz do seu carma um inferno. Além disso, você gostaria de ser sacrificado em um ritual de magia para outra pessoa? A única exceção é o sangue menstrual, que é usado em magia e em práticas contemporâneas ligadas aos mistérios femininos, assim como no passado).

No Havaí contemporâneo, muitos ainda seguem o antigo costume de misturar sal *alae* (sal de rocha coberto com terra vermelha rica em ferro) com água. A mistura é espargida com folha de *ki* ou *ti* em pessoas, estruturas e prédios, para fins de purificação.

Os mexicanos que ainda prezam a magia costumam pendurar em suas casas ou estabelecimentos comerciais uma enorme guirlanda composta de alho ou *aloe vera*, na qual amarram saquinhos de sal para espalhar proteção e atrair dinheiro.

Usos mágicos: O sal é um ótimo material para limpeza e para ligação com a terra. Para purificar pedras-gemas, coloque-as em uma vasilha com sal e deixe ali por uma semana, mais ou menos (veja o capítulo 7).

Ponha um pouco de sal na água de seu banho. Isso cria uma mudança química – você converteu um sólido (o sal) em líquido. Tome um banho com essa mistura para provocar mudança semelhante em você. Visualize suas dúvidas, preocupações, doenças (se houver) e todas as energias negativas que o afligem deixando seu corpo e entrando na água, onde são neutralizadas.

Se preferir chuveiro, coloque uma pequena quantidade de sal de rocha e um punhado de hissopo (*Hyssopus officinalis*) em uma esponja de banho e esfregue o corpo com ela.

Para proteger a casa, borrife sal energizado nos cantos de cada cômodo, visualizando-o esterilizando e queimando toda a negatividade.

Despeje sal em um círculo a seu redor no chão, visualizando as energias do sal espalhando-se pela terra e subindo acima de você, para formar uma esfera protetora de luz branca brilhante. Dentro desse círculo, forma-se o ambiente perfeito para realizar magia defensiva ou protetora.

Saborear o sal proporciona firme conexão com a terra. Ele fecha seus centros psíquicos (caso esteja trabalhando para despertar sua mente psíquica, evite sal em sua dieta). Esse ato é também protetor e purificador.

Se você sentir necessidade de focalizar suas energias e sua atenção, para dar um enfoque tipo "visão de túnel" em sua vida por algum tempo, porte consigo um pouco de sal em um saquinho verde. Isso é especialmente importante para aqueles que tendem a se concentrar unicamente em assuntos espirituais, negligenciando as necessidades físicas.

Uma magia de prosperidade com sal: em seu altar, ou em uma grande travessa, despeje sal, lentamente, para formar um pentagrama (uma estrela de cinco pontas).

Energize uma vela verde com vibrações para atrair dinheiro e coloque-a num pequeno candelabro ao centro do pentagrama.

Acenda a vela.

Em seguida, energize suas pedras de atrair dinheiro. Coloque uma em cada ponta do pentagrama. Use pedras como olho de tigre, peridoto/olivina, jade, ímã, opala, pirita, ou quaisquer outras pedras constantes da lista na parte quatro deste livro.

Podem ser usadas cinco pedras da mesma espécie, ou qualquer combinação delas. Enquanto coloca cada pedra, começando pelo ponto mais alto do pentagrama, diga algo como:

Eu coloco esta pedra para atrair dinheiro.

Deixe a vela queimar por dez a 13 minutos, enquanto se acomoda na frente dela, visualizando.

Repita todos os dias durante uma semana. Depois coloque sal em um saquinho verde, junte as pedras e as gotas da vela derretida, e carregue consigo para continuar a atrair dinheiro. Quando sentir que a magia manifestou-se plenamente, despeje o sal em água corrente (uma torneira servirá, se não houver outra coisa disponível), enterre a cera da vela e limpe as pedras. Está feito.

Sárdio

Energia: Projetiva
Planeta: Marte
Elemento: Fogo
Poderes: Amor, proteção, coragem, facilita o parto

Usos mágicos: O sárdio é uma variedade amarelo avermelhada ou marrom de quartzo (relacionada à cornalina). Acredita-se que seja magicamente mais eficiente para as mulheres do que para os homens.

Nos anos 1300, o sárdio era entalhado com a imagem de uma parreira (simbolizando a energia masculina) e de uma hera (energia feminina). Era usado por mulheres para dar boa sorte e para atrair amor.

Regido por Marte e de cor avermelhada, o sárdio também é usado em rituais de proteção e para desfazer magias negativas (feitiços), assim como para promover a coragem. Coragem, que aqui significa *saber* que você pode enfrentar qualquer situação, é gerada pelo fortalecimento da autoconfiança e também pela projeção do corpo de seu próprio poder pessoal.

Houve épocas em que o sárdio era dado às mulheres para facilitar partos complicados.

Sardônica

Energia: Projetiva
Planeta: Marte
Elemento: Fogo
Divindade: Marte
Metais associados: Prata, platina, ouro
Poderes: Proteção, coragem, felicidade conjugal, eloquência, paz, sorte

Usos mágicos: A sardônica é a calcedônia com camadas de sárdio marrom. É usada em rituais de proteção e para promover a coragem e o destemor. Na Roma antiga, as figuras de Hércules ou de Marte eram gravadas nessa pedra com esse último fim. Usa-se a sardônica para promover boas relações entre amantes e casais casados, pondo fim às brigas domésticas e facilitando a comunicação.

É usada ou portada para auxiliar a eloquência, especialmente por advogados e por todos os que precisam falar em público. Por isso, joias que contenham sardônica podem ser usadas no tribunal para assegurar que o testemunho de seu usuário seja claro e conciso.

Usada ou colocada perto do coração, alivia a depressão e o desânimo, produzindo paz e alegria.

A sardônica era antigamente gravada com a cabeça de uma águia, montada em prata, platina ou ouro, e usada para trazer boa sorte.

Selenita

Energia: Receptiva
Planeta: Lua
Elemento: Água
Poderes: Reconciliação, energia

Usos mágicos: A selenita é um mineral transparente, disposto em camadas, que lembra ligeiramente a calcita.

Recebeu o nome de Selene, antiga deusa da Lua, e é trocada entre amantes para reconciliação.

A pedra também é usada para dar energia ao corpo.

Serpentina

Outros nomes: Za-tu-mush-gir (Assírio)
Energia: Projetiva
Elemento: Fogo
Poderes: Proteção, lactação

Usos mágicos: As correspondências mencionadas quanto a energia, planeta e elemento são meras tentativas, pois há poucas informações disponíveis quanto a essa pedra.

Na antiga Assíria, era costume portar focas feitas de serpentina para que os deuses e deusas trouxessem bênçãos em dobro.

A serpentina também é usada ao redor do pescoço por mulheres que estão amamentando, para regular a produção de leite.

Porém, seu principal uso é proteger contra criaturas venenosas, tais como cobras, aranhas, abelhas, escorpiões e outros répteis e insetos perigosos.

Isso pode parecer um tanto inútil, mas pense um pouco. Você já foi acampar nas montanhas ou caminhar no meio de bosques na primavera? E expedições para coletar pedras no deserto?

Quando saímos de nosso ambiente artificial (nossas casas), estamos sujeitos à natureza em todas as suas manifestações, inclusive criaturas que mordem e picam para defender o território ou a vida. Não fique bravo – traga com você um pouco de serpentina, porte-a consigo enquanto estiver caminhando no meio dos bosques ou explorando a natureza. Talvez você consiga prevenir tais aborrecimentos.

Sodalita

Energia: Receptiva
Planeta: Vênus
Elemento: Água
Poderes: Cura, paz, meditação, sabedoria

Usos mágicos: A sodalita é uma pedra azul escura com veios brancos. É frequentemente confundida com lápis-lazúli, mas não apresenta os flocos dourados de pirita de ferro que existem naquela pedra.

Ela é curadora, especialmente para doenças relacionadas ao emocional, ou aquelas causadas por estresse, nervosismo, raiva ou medo.

Use ou esfregue no corpo para afastar o medo e a culpa. Use ou segure para acalmar a mente, relaxar o corpo e acalmar o tumulto interno.

É uma ótima pedra meditativa e, quando usada conscientemente, promove o conhecimento.

Sugilita

Energia: Receptiva
Planeta: Júpiter
Elemento: Água
Poderes: Psiquismo, espiritualidade, cura, sabedoria

Usos mágicos: A sugilita é uma pedra relativamente nova, assim como seus usos em magia. Atualmente, estão sendo realizadas muitas pesquisas e experiências com essa pedra.

Trata-se de uma pedra cara, densa, de cor púrpura, com bom peso sólido. Ela parece facilitar a consciência psíquica, quando carregada ou usada.

Assim como a maioria das pedras púrpura, utiliza-se a sugilita para cura. Também é contemplada ou usada durante a meditação para aumentar a consciência do mundo espiritual, além de auxiliar na obtenção de sabedoria.

Topázio

Energia: Positiva
Planeta: Sol
Elemento: Fogo
Divindade: Rá
Metal associado: Ouro
Pedra associada: Olho de tigre
Poderes: Proteção, cura, perda de peso, dinheiro, amor

Tradição ritual/mágica: As pedras que conhecemos como peridoto e olivina eram chamadas de topázio, em um passado distante.

Antigamente, era usado por quem queria tornar-se invisível.

Usos mágicos: Topázio é outra pedra-gema usada para fins de proteção. É considerada ideal contra inveja, intriga, doença, ferimentos, morte súbita, feitiçaria e magia negativa, além de loucura. Acreditava-se que essa pedra fosse especialmente eficaz quando incrustada em ouro e amarrada no braço esquerdo.

Quando usada, combate depressão, raiva, medo, ambição, *frenesi* e todas as emoções perturbadoras.

Colocada em casa, é um encantamento contra incêndios e acidentes. Debaixo do travesseiro ou usado para dormir, o topázio combate pesadelos e sonambulismo.

O topázio também é usado para aliviar as dores do reumatismo e da artrite, assim como para regular o sistema digestivo. Talvez por isso seja indicado para perda de peso.

Conhecido como "amante de ouro", o topázio é usado para atrair riquezas e dinheiro. Combine com quantidades iguais de olho de tigre. Energize e coloque essas pedras em volta de uma vela verde. Acenda a vela e visualize.

Usar topázio atrai amor.

Turmalina

Energias: Diversas
Planeta: Diversos
Elemento: Diversos
Poderes: Amor, amizade, dinheiro, negócios, saúde, paz, energia, coragem, projeção astral

Usos mágicos: Conhecida dos magos antigos, hoje em dia a turmalina é muito pouco usada em magia, embora sua popularidade esteja aumentando.

Trata-se de uma pedra única em muitos sentidos. Ela é transparente quando olhada do lado do cristal e opaca nas duas extremidades. Quando aquecida ou esfregada para criar fricção, ela se polariza; isto é, um lado torna-se positivo e atrai cinzas ou pedacinhos leves de palha, e o outro torna-se negativo.

Pode-se encontrar essa pedra em uma variedade de cores, cada qual com seu atributo mágico. Alguns cristais possuem dois ou três tons.

Turmalina rosa (energia: receptiva; planeta: Vênus, elemento: água): Turmalina rosa atrai amor e amizade. Use para promover simpatia em relação aos outros.

Turmalina vermelha (rubelita), (energia: projetiva, planeta: Marte, elemento: fogo): Rubelita ou turmalina vermelha é usada para dar energia ao corpo, promover a coragem e fortalecer a vontade. Também é usada em rituais de proteção.

Turmalina verde (energia: receptiva, planeta: Vênus, elemento: terra): Essa pedra é usada para atrair dinheiro e sucesso nos negócios. Coloque em um cofrinho ou porta-moedas. A turmalina verde também é usada para estimular a criatividade.

Turmalina azul (indicolita), (energia: receptiva, planeta: Vênus, elemento: água): Use essa pedra para desestressar, para ter paz e sono reparador.

Turmalina preta (schorl), (energia: receptiva, planeta: Saturno, elemento: terra): Geralmente frágil demais para joalheria, raramente encontra-se a turmalina preta no comércio. É usada para fins de ligação com a terra, representando-a em rituais relacionados a esse elemento. Também é protetora, pois absorve a negatividade por meio de visualização, quando carregada para esse fim.

Turmalina melancia (energias: projetiva, receptiva; planetas: Marte, Vênus; elementos: fogo, água): A turmalina melancia consiste do interior de uma turmalina vermelha ou rosa dentro da turmalina verde. Uma turmalina melancia quebrada ou fatiada lembra muito a fruta, daí seu nome. Essa pedra é usada para equilibrar as energias projetivas e receptivas (masculino e feminino) dentro do corpo. Também é uma pedra que atrai amor e funciona melhor para esse fim quando usada por pessoas equilibradas.

Quartzo turmalinado (energia: receptiva, planeta: Plutão): Use ou coloque debaixo do travesseiro para promover a projeção astral. Ou então obtenha uma esfera de quartzo turmalinado e, olhando para ele, acalme sua mente e projete seu corpo astral para dentro do cristal.

Turquesa

Outros nomes: Fayruz (pedra da sorte, em árabe), pedra turca, pedra da Turquia, Thyites (grego antigo), pedra de Vênus, talismã do cavaleiro
Energia: Receptiva
Planetas: Vênus, Netuno
Elemento: Terra
Divindades: Hathor, Buda, o Grande Espírito (indígena americano)
Metal associado: Ouro
Poderes: Proteção, coragem, dinheiro, amor, amizade, cura, sorte

Tradição ritual/mágica: A turquesa é uma pedra sagrada para muitas tribos indígenas americanas. Os navajo usavam turquesa e coral moídos para criar pinturas com areia, destinadas a trazer chuva para a terra seca. Outros habitantes nativos do sudoeste dos Estados Unidos e do México colocavam turquesas nas tumbas para proteger os mortos.

Os pueblos colocavam turquesas debaixo do assoalho como oferenda às divindades quando construíam uma casa, ou *kiva*. Um pedaço de turquesa era uma ferramenta bastante presente nas bolsas medicinais ou de poder dos xamãs apaches. Outros povos americanos prendiam turquesas nos arcos para assegurar tiros certeiros.

As Pedras

Além desses e de muitos outros usos, a turquesa é apreciada por sua bela cor e potentes propriedades mágicas.

Usos mágicos: Trata-se de uma pedra protetora. Turquesas com entalhes em forma de cavalos e de ovelhas são mantidas pelos navajo como poderosos guardiães contra magia negativa.

Um anel de turquesa é usado para proteger contra olho gordo, doenças, serpentes, veneno, violência, acidentes e qualquer tipo de perigo. Quando usada, promove a coragem.

Cavaleiros usam turquesa para se proteger de quedas. Para essa finalidade, devem ser incrustadas em ouro. Eles prendem um segundo pedaço pequeno na sela ou arreio do cavalo para proteger o animal.

É um valioso amuleto para viajantes, especialmente para aqueles que estão se aventurando em locais politicamente instáveis ou perigosos.

Há um antigo ritual com turquesa para atrair riqueza. Faça-o alguns dias após a lua nova, quando o crescente começa a ser visível no céu. Evite olhar para a lua até a hora adequada.

Segure uma turquesa na mão. Visualize sua necessidade mágica – dinheiro – manifestando-se em sua vida. Saia de casa e olhe para a lua.

Depois, olhe diretamente para a turquesa. A magia começou. Carregue a pedra consigo até que o dinheiro chegue.

Essa pedra também é usada ou carregada em magias para atrair dinheiro, tais como colocar círculos ou colares de turquesa ao redor de velas verdes, visualizando riqueza. Dada como presente, traz felicidade e riqueza a quem a recebe.

A pedra também é utilizada em magia de amor; pode ser usada, carregada ou dada para alguém que se ama. Com frequência, é usada para promover a harmonia conjugal, assegurando que as duas pessoas envolvidas fiquem sintonizadas. Algumas fontes afirmam que, se o amor diminuir no dono da pedra, a cor da pedra desbotará na mesma proporção.

Use turquesa para atrair novos amigos, para ser alegre e bem-humorado e para aumentar a beleza.

Trata-se também de uma pedra de cura. Fortalece os olhos, alivia febres e reduz dores de cabeça. Quando uma turquesa é pressionada contra a parte afetada ou doente do corpo, visualiza-se a doença entrando na pedra. Pode-se beber a água em que uma turquesa foi imersa e beneficiar-se das energias curativas.

Usam-se anéis e pingentes de turquesa para promover e proteger a saúde; velas azuis cercadas por turquesas são visualizadas como aceleradoras da cura. Alega-se que, se usada, a pedra evita enxaquecas.

Como todas as pedras azuis, a turquesa traz sorte e é portada para atrair boa sorte.

Zircônia

Energia: Projetiva
Planeta: Sol
Elemento: Fogo
Metal associado: Ouro
Poderes: Proteção, beleza, amor, paz, energia sexual, livrar de roubos

Usos mágicos: Essa pedra causa um tanto de confusão, pois pode ser encontrada em diversas cores, algumas das quais são produzidas artificialmente. Ela é conhecida por muitos nomes e todas as suas variedades têm qualidades mágicas.

Zircônia transparente (ou branca): um substituto mágico para o diamante, é usada para proteção. Use para clarear os pensamentos e para promover os processos mentais. Um ritual curioso: beije uma zircônia branca ou transparente. Se você for casto (celibatário), a pedra permanecerá clara. Caso contrário, ficará preta.

Zircônia amarela (lígure, jargão): Use para aumentar a energia sexual ou para atrair amor. Carregue para afastar a depressão, aumentar a precaução e para sucesso nos negócios.

Zircônia laranja (jacinto): Use para aumentar a beleza e para acalmar medos e o ciúme. Portada durante viagens, protege de ferimentos. Usada ou colocada na casa, livra de roubos; por isso, guarde uma zircônia laranja junto de seus valores. Incrustada em ouro, é duplamente poderosa.

Zircônia vermelha (jacinto): Essa pedra aumenta as riquezas se for usada ou carregada durante tais rituais. Também protege de ferimentos. Pedra de proteção, revitaliza o corpo, confere energia em tempos de estresse físico e cura. Se usada, reduz a dor do corpo.

Zircônia marrom (malacon): Use para ter ligação com a terra e concentração. A zircônia é empregada em encantamentos de riqueza e dinheiro.

Zircônia verde: As zircônias verdes são usadas magicamente para atrair dinheiro.

As Pedras

Nota do Editor

As quatro pedras a seguir são comumente usadas em magia, embora Scott Cunningham não as tenha incluído na primeira edição. Há fotos delas inclusas no encarte colorido e a seguir há algumas informações básicas sobre cada pedra.

Danburita

Energia: Receptiva
Poderes: Força, poderes mentais, espiritualidade

Usos mágicos: A danburita proporciona força em tempos turbulentos. Ativa os poderes mentais e encoraja o crescimento espiritual.

Kianita

Energia: Receptiva
Poderes: Persistência, amor, meditação

Usos mágicos: A kianita é usada para abranger o amor em todos os seus aspectos. Prepara o estado mental adequado para a meditação.

Vanadinita

Poderes: Meditação, poderes mentais, dinheiro

Usos mágicos: A vanadinita encoraja a confiança no coração de outra pessoa. É uma boa pedra para usar quando chegar a hora de abrir mão do controle e entregar-se ao Universo.

Ulexita

Energia: Receptiva
Poderes: Criatividade, harmonia, equilíbrio, coragem

Usos mágicos: Ulexita é conhecida como a "pedra da televisão". Coloque-a na parte de cima de um texto e na impressão aparecerá a face da pedra.

PARTE TRÊS
A Magia dos Metais

Capítulo 14
Os Metais

Uma bola de fogo brilha no céu e provoca um estrondo em uma paisagem primitiva. Ela atinge o solo com tremendo impacto, espalhando uma nuvem de poeira e de dejetos. Quando a fumaça se assenta, a área está coberta de objetos escurecidos, lisos, de peso quase irreal. Uma figura humana que havia presenciado esse fenômeno agacha-se com cuidado, olha para o céu, depois se levanta e examina os pedaços do estranho material ali espalhado.

A magnitude, o esplendor e o perigo do evento disparam alguma coisa na mente da testemunha. Depois de longa espera, a pessoa, receosa, apanha uma das pedras ainda quentes. De algum modo, a testemunha sente que aquele é um objeto poderoso, repleto das energias dos misteriosos pontos de luz no céu.

Dez mil anos depois, uma sacerdotisa da deusa Ísis senta-se em um jardim cercado por muros, ao lado de uma piscina com lótus. Ela aponta para uma brilhante imagem de metal de uma figura alada, ajoelhada. Prata, ela pondera, o metal de Ísis.

Depois de 4 mil anos, um homem tira sua roupa, tira seus óculos e os braceletes de cobre. Veste uma túnica sem zíper de metal, nem presilhas de reforço de aço. Ele está se preparando para a magia.

Os metais são "a carne dos deuses e das deusas", os ossos da terra, manifestações das forças universais. Para nossa consciência, eles podem ser caros ou comuns, belos, ou apenas interessantes, sagrados ou úteis.

Todos os metais são poderosas ferramentas de magia. Seu uso ritual – ou evitar seu uso – é tão antigo quanto a própria magia. Ao mesmo tempo em que os povos sentiram os poderes dentro das pedras, descobriram também que os metais continham energias com tremendas influências. Uma protegia do mal. Outra evitava pesadelos. Uma terceira era usada apenas em honra às forças por trás da vida e do Universo.

Mais tarde, quando os humanos inventaram a tecnologia para liberar os metais de suas matrizes rochosas, desenvolveram-se conhecimentos mais sofisticados sobre magia com metais.

Hoje, a magia com metais está quase esquecida, assim como as tradições com ervas e pedras já estiveram um dia. E isso é realmente uma pena, já que os metais são muito poderosos e eficientes em magia.

Os metais podem ser usados sozinhos ou em combinação com pedras. Se você for lapidador ou joalheiro, poderá fabricar seus próprios anéis, braceletes e coroas mágicos. Caso contrário, muitas peças de poder podem ser obtidas em lojas, por *e-mail*, ou por encomenda.

A magia com metais não exige investimento em uma libra de ouro, nem em uma tonelada de prata. Você também não precisará viajar para terras distantes em busca de minas lendárias. Os metais estão em todo lugar ao nosso redor, e, para realizar esse tipo de magia, tudo o que você precisa é reconhecer as energias que jazem dentro deles.

Metais planetários

Desde os tempos babilônicos, pelo menos, os metais são associados aos planetas. Esse sistema, destinado a uso ritual, permanece vigente até os dias atuais.

Para realizar uma magia relacionada a um dos planetas (veja informações sobre rituais planetários na parte quatro), energize o metal com sua necessidade mágica específica e use-o em algum ritual de forma significativa, assim como faria com as pedras.

Os metais podem ser usados, carregados, colocados em saquinhos de tecido, ou perto de velas ou pedras – não há limites para sua utilização.

Tendo em mente que os antigos viam o Sol e a Lua como planetas, aqui está uma lista dos corpos celestes e de seus metais respectivos:

Sol – ouro
Lua – prata
Mercúrio – mercúrio, electrum
Vênus – cobre
Marte – ferro
Júpiter – estanho
Saturno – chumbo

Outros metais foram descobertos desde aqueles tempos distantes (assim como outros planetas), mas esse é o sistema básico. Informações completas sobre cada um desses metais são apresentadas no corpo desta seção.

Metais elementais

Embora os metais estejam obviamente conectados à terra, também são relacionados a cada um dos elementos a fim de proporcionar outra estrutura para a preparação dos rituais. Veja na parte quatro as influências mágicas dos elementos.

Terra – rege chumbo e mercúrio
Ar – rege alumínio, mercúrio e estanho
Fogo – rege antimônio, bronze, pedras Boji e ouro
Ferro – rege meteorito, pirita e aço
Água – rege cobre, ímã, mercúrio e prata
Akasha – rege pedras Boji e meteorito

O mercúrio, graças a suas propriedades peculiares, é regido conjuntamente pela terra, pelo ar e pela água (veja artigo sobre esse metal peculiar). Electrum e outros amálgamas ou formas mistas de metais são, obviamente, regidos pelos elementos que regem cada um de seus componentes (por exemplo, um electrum de ouro e de prata é regido por fogo e água).

Ressaltamos novamente que esses dois sistemas de associações rituais são ferramentas utilizáveis pelos magos na criação de rituais. Trata-se de sistemas, não de camisas de força!

A seguir, discutimos os diversos metais.

Aço

Energia: Projetiva
Planeta: Marte
Elemento: Fogo
Poderes: Proteção, evitar pesadelos, cura

Tradição ritual/mágica: Antigamente, acreditava-se que o aço oferecia proteção contra fadas aparentemente mal-intencionadas.

Usos mágicos: O aço é um metal relativamente moderno e não tem muita história em magia. Entretanto, alguns usos foram descobertos e preservados.

Por exemplo, pequenas peças de aço são carregadas para proteger da negatividade. Usa-se também um anel de aço como amuleto de proteção.

Segure qualquer faca de aço sem corte. Visualize-a perfurando e afastando para longe a negatividade. Bloqueie os impulsos negativos e não permita que eles perturbem você. Veja a si mesmo acordando de manhã recuperado e rejuvenescido.

Depois, coloque a faca embaixo de sua cama e durma sobre ela. Você não deverá ter pesadelos.

Segundo a magia popular americana, um anel de aço usado constantemente na mão evita reumatismo. Assim como muitos desses rituais menores, esse também é muito difícil de provar!

Alumínio

Energia: Projetiva
Planeta: Mercúrio
Elemento: Ar
Poderes: Habilidades mentais, viagens, magia com imagens

Usos mágicos: O alumínio é provavelmente o metal mais mal usado nos tempos modernos. Há muito tempo vêm sendo usados utensílios de cozinha feitos com esse metal, apesar do evidente perigo que reside no seu aquecimento, que resulta na transferência prejudicial de certos elementos do alumínio ao alimento cozido.

O alumínio, ou formas desse metal, está presente em tudo, desde compostos de aspirina a antitranspirantes. É usado para criar desde latas de refrigerantes a peças de avião.

Trata-se de um metal "moderno", sem registro de uso entre os povos antigos. O alumínio é recomendado, às vezes, como alternativa ao mercúrio, que é atribuído tradicionalmente ao planeta do mesmo nome. É certamente menos perigoso de usar, mas não cozinhe nele.

Em magia, pequenos pedaços de alumínio podem ser carregados para estimular as habilidades mentais. Graças a suas modernas associações com viagens, é também utilizado em encantamentos envolvendo viagens a terras distantes.

O papel-alumínio, que deveria ser banido de todas as cozinhas no mundo todo, serve de instrumento para magia com imagens.

Coloque uma grande folha de alumínio em seu altar de pedra. Acenda velas da cor exigida por sua necessidade mágica (veja no capítulo 4 informações específicas com relação às cores e suas relações com pedras, velas e objetivos mágicos).

Tendo em mente sua necessidade mágica, modele a folha no formato adequado; permita que este incentive sua visualização e então envie energia através dele para fazer manifestar sua necessidade. Quando terminar, alise a folha e umedeça-a com água. Seque, alise e use a mesma folha todos os dias. Repita, até obter sucesso.

Reciclar alumínio é uma nova forma de "magia", em que transformamos lixo em dinheiro. É econômico, ecológico e magicamente seguro; assim, se houver um centro de reciclagem perto de você, guarde seu alumínio e transforme-o em "ouro".

Antimônio

Energia: Projetiva
Planeta: Sol
Elemento: Fogo
Poderes: Proteção

Usos mágicos: Use um pequeno pedaço de antimônio para proteger contra vibrações negativas. Esse metal branco também pode ser usado ou carregado para proteção.

Pedacinhos de antimônio acrescentados a combinações de pedras protetoras aumentam os poderes destas.

Bronze

Energia: Projetiva
Planeta: Sol
Elemento: Fogo
Metal associado: Ouro
Poderes: Cura, dinheiro, proteção

Usos mágicos: O bronze vem sendo usado há tempos como substituto mágico do ouro. Conquanto não possua todas as atribuições do ouro, o bronze é usado em rituais para atrair dinheiro.

Por exemplo, ao nascer do sol, energize oito pequenos sinos de bronze e oito velas verdes com sua necessidade de dinheiro. Faça isso à luz solar direta, se possível. Coloque as velas (em castiçais) sobre algo de forma ligeiramente quadrada (duas de cada lado). Toque cada um dos sinos sobre cada vela e visualize.

Ou coloque olivina energizada, aventurina ou qualquer outra pedra que atraia dinheiro sobre um pedaço de bronze, durante rituais para prosperidade.

Outra simples magia para atrair dinheiro: inscreva um pentagrama em um pequeno pedaço de bronze utilizando sua unha ou alguma ferramenta de entalhe, e porte consigo esse objeto para atrair riquezas.

O bronze também é usado em rituais de cura. Acredita-se que usar um anel de bronze possa, por exemplo, aliviar cãibras estomacais. Uma chave de bronze colocada na nuca, ou deixada cair pelas costas, é uma antiga simpatia para estancar sangramentos nasais.

Esse metal amarelo dourado também é protetor. Bijuterias de bronze são usadas com esse fim e também na magia defensiva para mandar a negatividade de volta a quem enviou. Objetos de bronze energizados são colocados em casa com finalidade protetora.

Chumbo

Energia: Receptiva
Planeta: Saturno
Elemento: Terra
Ervas associadas: Rosa, urtiga, arruda, cominho
Poderes: Adivinhação, proteção, magia defensiva

Tradição ritual/mágica: O chumbo sempre foi usado em magia. Na Grécia antiga, blocos desse metal eram ritualmente energizados e inscritos com "palavras de poder". Esses blocos eram geralmente usados em magias negativas porque o chumbo asseguraria a longa continuidade do feitiço.

Na Índia, durante o século XI, encantamentos e figuras destinadas a provocar a concepção ou aumentar a fertilidade de jardins e de pomares eram entalhados em blocos de chumbo.

Usos mágicos: O chumbo é um metal pesado que causa a morte quando absorvido pelo corpo. Os antigos romanos descobriram isso ao usar pratos e utensílios de cozinha feitos desse metal.

Um tipo curioso de adivinhação, registrado na Itália nos anos 1800 por Charles Godfrey Leland, usa chumbo. Pegue três sementes de rosa (tire-as do "fruto" que se forma depois que a rosa perdeu suas pétalas), três folhas de urtiga, duas folhas de arruda e três sementes de cominho. Coloque tudo em uma placa de metal com uma pequena quantidade de chumbo.

À meia-noite, enquanto esvazia sua mente da bagunça mental desnecessária, queime duas velas amarelas e acenda uma fogueira. Coloque a placa de metal sobre o fogo. Depois, encha uma vasilha grande com água. Quando o chumbo tiver derretido, despeje-o na água junto com as cinzas das ervas.

Quando o nódulo de chumbo tiver esfriado, tire-o da água e observe sua forma. O ritual e o chumbo em si devem permitir acesso à sua mente psíquica. Se nada vier à sua mente, coloque o nódulo debaixo de seu travesseiro e deixe-se guiar por seus sonhos.

O chumbo é usado em trabalhos de proteção e também tem papel importante em magia defensiva. Pode ser colocado próximo às portas da casa para evitar que a negatividade consiga entrar.

Cobre

Energia: Receptiva
Planeta: Vênus
Elemento: Água
Divindades: Afrodite, Astarte, Ishtar
Pedras associadas: Cristal de quartzo, esmeralda
Erva associada: Mimosa
Poderes: Direcionamento da energia, cura, sorte, amor, proteção, dinheiro

Tradição ritual/mágica: O cobre, um metal laranja avermelhado, sempre foi associado ao divino. Nos tempos da antiga Mesopotâmia, era relacionado à rainha do Céu assim como às deusas associadas ao planeta Vênus. Entre elas: Ishtar, Astarte e talvez Inanna, a antecessora suméria das duas primeiras divindades citadas.

Esse metal também era dedicado ao Sol pelos babilônios, assim como pelos primeiros habitantes da região Noroeste do Pacífico (Estados Unidos).

Usos mágicos: O cobre é bastante conhecido por seu atributo de conduzir eletricidade. Um dos usos modernos desse metal é a fabricação de bastões feitos a partir de tubos de cobre. Eles recebem pontas de cristal de quartzo e às vezes são envolvidos em couro, ou outra substância protetora. Tais bastões são usados em rituais de magia para direcionar a energia. Esse metal também é usado durante os rituais com a mesma finalidade – aumentar a habilidade do mago em direcionar a energia para seu objetivo mágico.

Desde os mais remotos tempos, o cobre vem sendo usado para estimular a cura. Isso pode ser em virtude de sua característica de equilibrar a polaridade do corpo, ou o fluxo das energias projetiva e receptiva. Bloqueios desse padrão de energias, de acordo com os xamãs e outros curadores similares, geram desequilíbrios e, portanto, doenças.

Não há fronteiras para as aplicações curativas do cobre. No México, uma moeda de cobre é colocada no umbigo antes de uma viagem para evitar enjoos. O cobre é usado para aliviar reumatismo, artrite e qualquer condição dolorosa. Prende-se folgadamente um fio de cobre ao redor das pernas e braços para aliviar cãibras.

O cobre puro, em qualquer forma, é frequentemente usado para cura em geral e para evitar doenças. Para aumentar sua eficiência nas aplicações relacionadas à saúde, o cobre é geralmente usado do lado esquerdo do corpo pelos destros e do lado oposto pelos canhotos.

O cobre é um metal da sorte, talvez por suas atribuições solares passadas, e por isso pode ser usado em combinação com qualquer gema que também atraia sorte.

Sendo um metal de Vênus, o cobre é usado para atrair amor. As esmeraldas, se você puder ter uma, podem ser incrustadas em cobre e usadas com essa finalidade.

Antigamente, sementes de mimosa (*Acacia dealbata*) eram colocadas em anéis de cobre e usadas para proteção contra todos os tipos de males e negatividade que atingem os homens, especialmente durante confrontos.

Por fim, o cobre é usado para atrair dinheiro. Embora as moedas nos Estados Unidos não sejam mais feitas de cobre, as mais antigas de um centavo, especialmente as cunhadas em anos bissextos, eram colocadas na cozinha para atrair dinheiro para a residência.

Electrum

Usos mágicos: "Electrum" é um termo geral que designa uma mistura, ou liga, de metais. Ouro, prata e platina são frequentemente encontrados, em uma ou outra combinação, no electrum usado em magia.

Electrum em estado natural é raro e já foi intensamente desejado para uso mágico. Hoje em dia, embora o electrum seja produzido por meios artificiais, isso não diminui suas energias.

O processo de misturar metais combina seus poderes. O "novo" metal assim criado é usado em várias operações mágicas, talvez uma que requeira as forças combinadas de vários planetas diferentes, ou para um fim específico.

Centenas de anos atrás, um electrum de ouro e prata era moldado em forma de taça. Quando uma solução venenosa era colocada nessa taça, o electrum revelava sua presença, emitindo fagulhas e metades de arco-íris.

Embora não precisemos levar isso tão a sério (apesar de o efeito citado poder ser observado por meio da visão psíquica), sem contar que hoje em dia o envenenamento não é prática tão comum como antigamente, considere que esse é um exemplo dos poderes atribuídos ao electrum.

Os antigos egípcios faziam joias de electrum natural. Os praticantes contemporâneos de magia com habilidades em artesanato metalúrgico fabricam seu próprio electrum para finalidades específicas.

Por exemplo, um adepto de Wicca dedicado aos antigos deus e deusa da natureza poderia usar um anel ou pingente de electrum de ouro e prata. Isso seria simbólico da unidade das duas divindades supremas.

Hoje, o electrum é raramente encontrado no comércio e geralmente precisa ser feito sob encomenda.

Estanho

Energia: Projetiva
Planeta: Júpiter
Elemento: Ar
Poderes: Divinação, sorte, dinheiro

Tradição ritual/mágica: Um antigo encantamento córnico afirma que, para transformar estanho em prata, tudo o que um mago precisa fazer é colocá-lo em um recipiente com formigas, em determinada noite do ciclo da Lua. Como era de se esperar, o feitiço não diz qual noite é essa – seria a primeira? A sétima? A vigésima?

Usos mágicos: Estanho, o metal de Júpiter, é usado em divinação de forma similar ao que discutimos no artigo sobre o chumbo.

Na véspera do Ano-Novo, uma noite especial para prever as tendências do futuro, derreta uma pequena quantidade de estanho em uma vasilha de ferro sobre uma chama (pode ser um bico de gás).

Quando o metal estiver derretido, atire-o em um balde de água gelada. Seque o chão, se necessário, depois olhe para a forma do metal e para as dobras ou padrões que podem estar presentes nele. Adivinhe o futuro a partir do nódulo formado.

O estanho também é portado para dar boa sorte, e o metal pode ser fundido na forma de miniaturas de notas de dólares para ser usadas como talismãs para atrair dinheiro.

Ferro

Energia: Projetiva
Planeta: Marte
Elemento: Fogo
Divindade: Selene
Pedras associadas: Cristal de quartzo, pedras perfuradas
Metais associados: Ímã, meteorito
Poderes: Proteção, magia defensiva, força, cura, fundamento, retorno de bens roubados

Tradição ritual/mágica: Como o ferro é raramente encontrado na forma pura, exceto aquele presente nos meteoritos, o primeiro tipo de ferro disponível para uso humano foi obtido desses estranhos objetos celestes. Os meteoritos, observados caindo dos céus, foram usados pelos humanos primitivos para fazer ferramentas simples com ossos e implementos de ossos.

Então os seres humanos de quase todo o mundo acabaram aprendendo a extrair o ferro de seu minério, o que o tornou mais disponível para outros usos. Quando isso ocorreu, esse metal foi logo limitado a aplicações puramente físicas, sendo restrito em magia e em religião. Na Grécia antiga, por exemplo, nenhum tipo de ferro foi levado aos templos. Os sacerdotes romanos não podiam ser barbeados nem esfregados com ferro durante a limpeza corporal.

Irlanda, Escócia, Finlândia, China, Coreia, Índia, além de outros países, têm severos tabus contra o ferro. Vezes sem conta em antigos rituais, fazia-se fogo e construíam-se altares sem o uso de ferro e todos os rituais mágicos eram realizados só depois que o corpo fosse limpo de todos os vestígios desse metal.

Geralmente colhiam-se ervas com facas que não eram de ferro, por causa da crença de que as vibrações desse metal poderiam "misturar" ou "confundir" as energias dos vegetais.

Os hindus acreditavam que o uso do ferro em construções poderia disseminar epidemias e, até hoje, um presente feito de ferro é considerado por alguns como de mau agouro.

Entretanto, o ferro tem seu lugar na magia. Especificamente, era usado em rituais de proteção. Acreditava-se que suas poderosas vibrações projetivas eram temidas pelos demônios, fantasmas, fadas, gênios e outras criaturas fantásticas.

Na China, achava-se que os dragões tinham medo do ferro. Quando as pessoas precisavam de chuva, pedaços desse metal eram atirados nos "poços dos dragões" para importunar as criaturas e mandá-las para o céu na forma de nuvens de chuva.

Na Escócia antiga, o ferro era usado para afastar perigo quando havia ocorrido morte na casa. Pregos ou agulhas de tricô feitos de ferro eram colocados em cada item de alimento (queijo, grãos, carne, etc.) para agir como codutores elétricos – ali, absorveriam as confusas vibrações que a morte poderia provocar entre os vivos, livrando assim a comida de possível contaminação.

Os romanos do período Clássico colocavam pregos nas paredes de suas casas para preservar a saúde, especialmente em tempos de peste.

Por causa de seus efeitos protetores, às vezes acreditava-se que o ferro era sagrado, e os ladrões, na antiga Irlanda, não ousavam roubá-lo.

Usos mágicos: Ferro – poder projetivo puro, ativo, que busca, ofuscante, confunde e protege.

Para uma proteção completa, coloque pequenos pedaços de ferro em cada cômodo da casa, ou enterre-os nos quatro cantos de sua propriedade. Antigamente, cercas de ferro eram, às vezes, usadas para evitar que o fluxo de negatividade entrasse na casa.

Durante rituais de magia protetora ou de defesa, use um anel de ferro em que esteja gravado o símbolo de Marte (♂). Ou pegue uma vela grossa de três polegadas de espessura e oito pregos velhos de ferro. Aqueça os pregos no fogo (ou na chama de uma vela vermelha), depois enfie cada um na vela branca de forma aleatória. Então acenda-a e visualize-se guardado, protegido, seguro.

Usar ferro, ou carregar um pequeno pedaço desse metal, aumenta a força física e é excelente talismã para atletas.

O ferro também é usado em rituais de cura. Um pequeno pedaço deve ser colocado embaixo do travesseiro, à noite. Originalmente, isso era feito para afugentar os demônios que haviam trazido a doença, mas pode ser entendido como um fortalecedor da habilidade do corpo de curar a si mesmo.

Anéis ou braceletes de ferro são usados para tirar enfermidades do corpo. Isso remonta aos tempos dos antigos romanos, pelo menos.

Um ritual curioso da Alemanha para curar dor de dente: despeje óleo em um pedaço de ferro aquecido. A fumaça que sobe do ferro agirá sobre o problema.

Na antiga Escócia, as pedras curativas – cristais de quartzo ou pedras furadas – eram guardadas em caixas de ferro para ser protegidas contra criaturas sobrenaturais que quisessem roubá-las.

O ferro também é usado para ligação com a terra, para fechar os centros psíquicos e para deter a saída do fluxo de energia do corpo. Isso, com certeza, não é o melhor a se fazer durante um ritual de magia, mas é ótimo quando o indivíduo está em crise psíquica ou emocional, fisicamente esgotado ou deseja focalizar-se em assuntos físicos.

As ferraduras e os pregos de ferro que as prendem aos cascos são antigos instrumentos de magia. Podem ter sido usados primeiro na Grécia antiga, onde eram chamados de *seluna* e eram associadas com a Lua e a deusa Selena.

Uma ferradura pendurada em casa, na porta de entrada, proporciona proteção. Embora haja divergência quanto ao modo "correto" de pendurá-la, eu sempre a coloco com as extremidades para cima. O ideal é que sejam colocadas com pelo menos três de seus pregos originais.

Um velho prego de ferro de ferradura é, às vezes, dobrado para formar um anel (se encontrar um grande o suficiente) e usado para sorte e para cura.

Se algo seu foi roubado e você dispuser de uma lareira, tente esta magia: pegue um prego de ferradura que tiver encontrado por acaso. Empurre-o para dentro da lareira, visualizando o objeto roubado retornando para sua casa. Está terminado.

Há ainda magos e praticantes de Wicca que removem todos os traços de ferro do corpo antes de trabalharem com magia, mas esse hábito está caindo em desuso.

Os Metais 185

Ímã

Outros nomes: Magnetita, ímã, pedra que aponta o caminho, *Magnetis* (grego antigo), pedra-ímã, *Shadanu Sabitu* (assírio antigo), pedra de Heraclea, *piedra iman* (espanhol contemporâneo)
Energia: Receptiva
Planeta: Vênus
Elemento: Água
Ervas associadas: Sândalo, rosa, aquileia, lavanda
Estrela associada: Polaris (a Estrela do Norte)
Pedra associada: Coral
Metais associados: Ferro, cobre, prata, ouro
Poderes: Força, cura, atração, amizade, amor, fidelidade, disfunção sexual masculina, vontade, proteção, negócios, dinheiro, jogos de azar
  Tradição ritual/mágica: Diz a lenda que antigos romanos tinham uma estátua de Vênus, feita de ímã, e uma de Marte, feita de ferro. Quando as duas estátuas eram colocadas perto uma da outra no templo, Vênus atraía Marte.

Tales também alardeava a existência de uma estátua que ficava permanentemente suspensa no ar, por meio do uso de ímãs (mas isso nunca foi confirmado).

A pedra era associada ao herói Hércules nos tempos passados e assim tornou-se símbolo de força e invulnerabilidade.

Em magia popular contemporânea, acredita-se que o ímã seja vivo. Costuma-se pô-lo em uma pequena vasilha de água no dia de sexta-feira para que ele "beba", depois é colocado ao sol para secar. Quando seco, raspas de ferro são jogadas sobre ele como "alimento".

Embora haja variações desses procedimentos (alguns guardam a pedra em um saquinho vermelho e colocam água e raspas de ferro uma vez por semana), é uma crença bem difundida.

Várias centenas de anos atrás, acreditava-se que era perigoso carregar ímã durante uma tempestade, porque atrairia raios.

Uma faca que fosse esfregada com a pedra não ficaria apenas magnetizada: qualquer ferida feita com ela, mesmo que pequena, seria fatal.

Antigamente, acreditava-se que o ímã poderia ser despido de suas qualidades magnéticas pela simples presença de um diamante ou de alho. Giambattista della Porta, em seu monumental trabalho de 1558, *Magia Natural*, afirmou que provara a inverdade de tais crenças.

Entretanto, alguns permaneceram acreditando na veracidade delas. Felizmente, havia uma maneira simples de recuperar os poderes do ímã. Ele devia ser ungido com óleo de linhaça, colocado em um saquinho de couro de bode e coberto com terra. Seu uso para aumentar a virilidade e curar a disfunção sexual masculina (impotência) sobreviveu ao tempo.

Na antiga Assíria, era usado em um rito sexual de pura magia solidária. O homem colocava um ímã no óleo e esfregava no corpo e no pênis a "infusão" resultante para assegurar uma relação sexual satisfatória. A mulher esfregava no corpo o *parzilli*, ou pó de ferro, para ficar atraente. Assim preparados, os casais de 3 mil anos atrás, mágica ou psicologicamente, livravam-se das inibições e partilhavam o prazer.

Comparativamente mais recente, no século XVI na Índia, um rei ordenou que seus utensílios de cozinha fossem feitos de ímã para garantir sua contínua virilidade.

As prostitutas costumavam usar ímãs para atrair clientes, e os ladrões confiavam nesse metal para se esconder das autoridades.

Toda essa tradição originou-se da qualidade magnética natural do ímã. Este e os ímãs criados artificialmente possuem o poder de atrair o ferro. Há 500 anos, essa era uma propriedade mágica, miraculosa, e muitos acreditavam que era conferida por algum demônio ou espírito vivendo dentro do ímã.

Embora a ciência tenha, até certo ponto, explicado o magnetismo, o ímã continua a ser usado em magias e rituais. Isso é especialmente verdade no México, onde é vendido em *botanicas*, junto com velas, incensos, medalhas religiosas, peles de cobras, óleos e várias outras mercadorias ocultistas. Há lojas similares em várias regiões dos Estados Unidos onde vivem falantes da língua espanhola.

Vendedores de rua mexicanos, que trabalham com materiais para magia, também vendem esse metal. Comprei há alguns anos um ímã de uma mulher sentada em uma calçada do bairro de Tijuana, não frequentado por turistas.

Esse metal também é bastante conhecido no Vudune em outros sistemas populares de magia dos Estados Unidos. Os ímãs são, às vezes, pintados de verde (para uso em feitiços para atrair dinheiro), de vermelho (amor) e de branco (proteção). É claro que pintá-los não é magicamente importante, a menos que você determine que seja.

Usos mágicos: O ímã é uma pedra de poder usada para fortalecer a magia. É colocado em sachês, em amuletos de ervas ou no altar; também é usado para aumentar a habilidade do mago em estimular e liberar energias.

Em cerimoniais de magia na Idade Média, o ímã era entalhado com a figura de um homem com armadura. Essa pedra era utilizada durante rituais para fortalecer a magia.

Os Metais

Quanto maior a pedra, mais inerente o poder dentro dela. Conquanto isso seja verdade para todas as pedras, é especialmente importante para o ímã, pois, quanto maior ele for, mais poderosa é a força magnética.

O uso básico do ímã em magia é a atração. Por ser um magneto natural, é manipulado em rituais para atrair objetos ou energias para seu usuário. Assim, pode ser usado em qualquer tipo de magia.

Exemplo simples: um ímã colocado na fivela do cinto de um homem atrai sucesso em todas as empreitadas. Provavelmente, isso se deve às qualidades atrativas da pedra, assim como à sua colocação perto do que alguns chamam de "terceiro chacra", localizado cerca de duas polegadas abaixo do umbigo. Esse centro de energia está associado ao poder pessoal e à vontade. Quando estimulado pela presença do ímã, expande a vontade e, portanto, assegura o sucesso. Essa magia, a propósito, tem origem mexicana.

O ímã, graças a seus poderes magnéticos, é usado para afastar doenças e dores do corpo. Os curadores verdadeiros, que enviam energia para uma pessoa doente para acelerar os poderes naturais de cura do corpo (ou, especificamente, para corrigir os desequilíbrios ou bloqueios do fluxo de energia corporal), podem usar o ímã como um instrumento de concentração de suas energias.

A pedra pode ser passada na parte doente do corpo ou colocada diretamente sobre ela. Isso é particularmente eficaz contra dores nas mãos e nos pés. Também pode ser portada, depois de ungida em óleo de teor curativo, como o sândalo. Todo ímã usado em rituais de cura para absorver doenças deve ser limpo depois de cada uso.

Diz-se que é eficiente no tratamento de reumatismo, de dores de cabeça e na cura de feridas. Colocado em um saquinho preto, preso por uma fita preta ao redor do pescoço, era tratamento específico para gota há alguns séculos.

Um pequeno ímã incrustado em prata seria ideal para aguçar a visão. Incrustado em ouro, serviria para fortalecer o coração.

Uma magia popular bastante simples destinada a curar o corpo de qualquer enfermidade: segure o ímã nas mãos e chacoalhe-o vigorosamente, enquanto visualiza a doença sendo drenada de você e indo para a pedra. Enterre a pedra por uma semana depois do ritual.

Qualquer ímã usado em rituais de cura para absorver doenças deve ser limpo depois de cada uso, ou, se for usado no corpo, uma vez por semana.

O ímã também é usado ou portado para atrair amizade. Se você acabou de se mudar para uma nova cidade ou começou a trabalhar em um novo emprego entre pessoas desconhecidas, use ou carregue consigo um ímã para fazer novos amigos.

É usado também para atrair amor. Acredita-se que seja um magneto para os corações assim como o ferro, especialmente se usado como anel. Coloque um par de pedras dentro de um círculo de velas cor-de-rosa ou vermelhas, enquanto visualiza a si mesmo envolvido em um relacionamento. Sinta o contato forte, a mistura das energias que vêm com o amor. Visualize-as também.

Dois ímãs são frequentemente carregados em pequenos saquinhos vermelhos com essa mesma finalidade, às vezes misturados com ervas que atraem amor, como rosa, aquileia e lavanda (assim como o cobre, outro metal que induz ao amor).

O ímã é usado ainda para ajudar a superar problemas de relacionamento, especialmente discussões. Sua função básica é esfriar os ânimos para permitir comunicação verdadeira.

Costumava-se usar um colar de coral com um ímã pendurado para facilitar o parto.

Na magia popular americana, as mulheres usavam ímãs para assegurar que seus maridos errantes voltariam para casa; assim, ele estimularia a fidelidade. Já que isso chega às beiras da manipulação, como toda a magia de fidelidade, merece algumas considerações.

Quando você começa um relacionamento de amor/sexual com outra pessoa, e especialmente quando dele resultam filhos, você perde um pouco do controle de sua vida para seu companheiro e sua família. Isso é parte da doação envolvida em fortes laços emocionais.

Na melhor das hipóteses, essa magia de fidelidade deveria ser usada para lembrar a seu parceiro, delicadamente, que ele ou ela tem suas obrigações. Se um relacionamento acabou, pronto – não há magia nem ímã no mundo capaz de recuperar o êxtase, a paz e a plenitude emocional que o amor produz. Escravidão psíquica ou mágica não é amor.

A capacidade do ímã de curar impotência foi mencionada anteriormente, mas métodos tão drásticos ou complexos não precisam ser usados. Um homem que sofre de disfunção sexual pode segurar a pedra em sua mão receptiva, visualizando relações sexuais satisfatórias, completas e felizes.

Depois de fazer isso, ele pode carregar a pedra consigo ou colocá-la debaixo do colchão para liberar os poderes dela. A pedra e a visualização trabalham para eliminar a causa subjacente à disfunção sexual.

O ímã também tem sido utilizado como amuleto protetor, podendo ser usado no corpo, colocado na casa ou carregado. Um ímã grande, cercado por velas brancas acesas, emite energias protetoras para toda a casa. Ele absorve a negatividade, mas não a devolve. Por isso, tais pedras devem ser limpas com água salgada toda lua cheia.

Algumas pessoas carregam dois ímãs em todas as ocasiões – um para proteger e o outro para trazer boa sorte. Na Espanha antiga, acreditava-se que carregar um ímã protegia de todos os perigos que pudessem advir do aço, do chumbo, do fogo e da água.

Aqueles que têm pouca força de vontade (que nada mais é do que estabelecer metas e agir de forma a atingi-las) devem energizar um ímã com esta ordem específica: "Fortaleça minha vontade". Então, carregue a pedra e utilize as energias que ela envia a você. Conforme mencionei, ela pode ser usada duas polegadas abaixo do umbigo, ou aplicada nessa região quando você estiver deitado de bruços, visualizando-se confiante e seguro.

Por ser uma pedra atrativa, o ímã é usado para atrair dinheiro ou sucesso nos negócios. Coloque o ímã em um saquinho verde junto com uma moeda de prata, um pouco de ouro (se tiver) ou ervas que atraem dinheiro, como patchuli, trevos ou cumaru. Homens ou mulheres de negócios podem colocar um ímã energizado na caixa registradora, ou no local onde guardam dinheiro, ou ainda acender velas verdes ao redor de um ímã para atrair clientes.

Por fim, o ímã é considerado por alguns um poderoso talismã em jogos de azar. É usado ou carregado para dar sorte em apostas.

Mercúrio

Nome popular: Mercúrio
Energias: Projetiva, receptiva
Planeta: Mercúrio
Elementos: Água, terra, ar

Tradição ritual/ mágica: Mercúrio – essa estranha e brilhante "prata" derretida que nunca se solidifica. Mística e magicamente falando, o mercúrio é um metal complexo. Possui uma natureza dupla – projetiva e receptiva, yang e yin, metal e líquido.

Por causa da densidade, o mercúrio é regido pelo elemento terra. Como aparece também em estado líquido, é regido pela água, e seus movimentos rápidos correspondem ao ar. Por ser tão venenoso, o mercúrio poderia, talvez, ser regido pelo fogo.

Mas vamos falar a verdade: o mercúrio é estranho. Ele tem sido usado em magia em parte por causa de sua aparência e propriedades exclusivas.

Por exemplo, antigamente gotas de mercúrio eram seguradas na mão e usadas como meio de clarividência. Para a mesma finalidade, eram usadas bolas de cristal transparente cheias de mercúrio, fechadas hermeticamente e colocadas de cabeça para baixo em um suporte.

Um talismã popular para jogos de azar usado até hoje consiste em uma noz-moscada oca, cheia de mercúrio e bem tapada. Deve ser carregada para dar sorte com cartas, dados, cavalos e números. Entretanto, o mercúrio é perigoso de inalar, ingerir ou até mesmo tocar, por períodos prolongados de tempo. Portanto, seus usos mágicos são limitados e, talvez, desnecessariamente arriscados.

O *The Witches Almanac*, publicado anualmente pela Llewellyn Publications, trouxe uma versão moderna da garrafa das bruxas, uma antiga magia de proteção, na edição Áries 1976-Peixes 1977. Para essa magia, usavam-se três garrafas. A garrafa menor era enchida com mercúrio e colocada dentro de outra garrafa. A segunda garrafa era enchida com água e depois colocada em um frasco ainda maior, sendo então coberta com areia, rochas e conchas.

Depois que essa magia foi publicada, tornou-se imensamente popular e muitos voltaram a usar mercúrio em magia outra vez.

Entretanto, existem metais mais seguros para se usar em magia – mais seguros e também mais baratos. Não use mercúrio. Por favor.

Meteorito

Outros nomes: Aerólito

Energia: Projetiva

Planeta: Nenhum. Meteoritos são associados ao Universo

Elementos: Akasha, fogo

Divindade: A Grande Mãe

Poderes: Proteção, projeção astral

Tradição ritual/mágica: Os meteoritos sempre fascinaram os humanos. Acreditava-se que fossem presentes dos deuses e deusas. Certos meteoritos, como a pedra Kaaba da Meca e uma outra pedra que se acreditava representar a Deusa Mãe da Frígia, foram cultuados como símbolos da divindade.

Uma pedra de quatro toneladas foi reverenciada na China como objeto sagrado desde os anos 1200. A pedra, no formato de um boi abaixado, fica dentro de um templo budista. Recentemente, entretanto, uma equipe de geólogos chineses estudou-a e determinou que se tratava de um meteoro que havia atingido a Terra há cerca de 1.300 anos. Hoje em dia, a pedra não é mais adorada.

Na Babilônia, o meteoro era um poderoso protetor mágico. Acreditava-se que ele seria capaz de afastar todos os demônios, devido à aparência estranha e ao "rugido de seu terrível poder".

O peridoto é muitas vezes encontrado em meteoritos. Recentemente tive em mãos um pequeno pedaço de meteorito e estudei os cristais verdes acumulados dentro dele. A pedra valia cerca de 3 mil dólares, e por isso não foi para casa comigo. Recentemente, foram encontrados diamantes minúsculos dentro de meteoritos caídos no México em 1969 – os primeiros diamantes que se descobriu terem sido formados fora de nosso planeta.

Em certos lugares da Terra, os meteoritos foram usados para explicar a origem da vida. Se as rochas caíram do espaço sobre a Terra, do mesmo modo poderiam ter vindo as plantas, a água, os animais e as pessoas.

Simbolicamente, os meteoritos podem ser vistos como o espiritual penetrando o físico, como força astral, por capricho ou ordem divina – embora um amigo meu afirme que eles são os restos derretidos de espaçonaves de galáxias distantes!

Usos em magia: Os meteoritos são coisas não terrestres, literalmente. Possuem os poderes dos voos intergaláticos, do movimento, da velocidade e da energia livre da gravidade.

Use-os em rituais de proteção. Coloque um no altar, perto de velas brancas, ou segure-os na mão.

São usados também para estimular a projeção astral. Um pequeno meteorito ou um fragmento dele é colocado debaixo do travesseiro durante as tentativas de projeção astral consciente.

Sim, eles estão disponíveis para venda por preços razoáveis. Eu visitei a loja de presentes do Teatro Reuben H. Fleet Space, em San Diego, há alguns dias e encontrei pequenos meteoritos por três dólares.

Ouro

Energia: Projetiva

Planeta: Sol

Elemento: Fogo

Pedras associadas: Cristal de quartzo, lápis-lazúli, olivina, peridoto, sardônica, pedra do sol, topázio, turquesa, zircônia (veja artigos sobre essas pedras para aplicações específicas)

Metais associados: Ímã, pirita (veja artigos sobre esses metais para aplicações específicas)

Poderes: Força, cura, proteção, sabedoria, dinheiro, sucesso, disfunção sexual masculina

Tradição ritual/mágica: O ouro está intimamente ligado à divindade, particularmente com os deuses associados ao Sol. Ao longo dos tempos, onde quer que fosse encontrado ou obtido por meio de troca, o ouro sempre foi o material de escolha para fazer imagens sagradas e decorar altares. Também era considerado a melhor oferenda para as divindades.

Em tempos mais recentes, o ouro saltou de um valor americano de cerca de 30 dólares a onça [cerca de 30 gramas] para incríveis mil dólares. Os preços do ouro continuam a flutuar. Embora as razões por trás desse aumento de preços não nos digam respeito aqui, tal interesse mundial por esse precioso metal é um indicador do poder, ao menos financeiro, que esse metal possui.

Hoje, o ouro continua a ser símbolo de riqueza e de sucesso para muitos. Joias de ouro são usadas como que para dizer: "Sou bem-sucedido". Poucas pessoas hoje em dia parecem conhecer suas propriedades mágicas.

Quando visitei antigas catedrais na região central do México alguns anos atrás, fiquei surpreso e triste ao ver o uso exagerado de ouro nos altares. Os salários de fome dos camponeses ajudaram a construir monumentos para o poder financeiro da religião organizada. No México, assim como em outros lugares, o ouro continua a ser ligado à religião.

Os magos que trabalham quase que exclusivamente com energia solar usam joias rituais de ouro para sintonizar-se com aquela fonte de poder. Na religião Wicca, os altos sacerdotes e aqueles que reverenciam o Sol como símbolo do Deus geralmente usam ouro.

Diz a lenda, que os druidas coletavam visgo com foices de ouro. Os especialistas em ervas da Idade Média também usavam utensílios de ouro durante a colheita, para fortalecer os poderes das plantas que colhiam.

Usos mágicos: O ouro, talvez o mais magicamente potente de todos os metais, é utilizado magicamente para emprestar sua energia aos rituais. As joias de ouro, usadas durante a magia, aumentam a habilidade do mago em despertar e enviar o poder. Usar ouro na vida diária aumenta seu poder pessoal, promovendo assim coragem, confiança e força de vontade.

Conforme mencionado, ferramentas de ouro eram tradicionalmente usadas para colher ervas. Digo "tradicionalmente" porque o ouro puro é macio demais para esse uso. Se você por acaso tiver facas banhadas em ouro em sua casa, elas são as ideais para colher ervas. Estritamente falando, use-as para colher ervas projetivas (masculinas, positivas ou elétricas). As facas de prata são mais adequadas, simbolicamente, para colher ervas receptivas (femininas, negativas, magnéticas).

Correntes de ouro são usadas ao redor do pescoço para preservar a saúde, e faixas de ouro são usadas para aliviar artrites. Diz-se que o uso habitual de ouro assegura vida longa.

Em virtude de seu brilho solar, o ouro é um metal projetivo. O ouro puro pode ser carregado como um guardião. Um anel especial feito de ouro e rebitado com pregos desse metal também é protetor. Até hoje, crianças pequenas na Índia são protegidas com pequenos amuletos de ouro. Crucifixos e cruzes de ouro, usados hoje em dia pelos cristãos, são remanescentes de antigos costumes pagãos.

Durante a realização da magia protetora ou defensiva, coloque objetos ou joias de ouro sobre o altar. Uma simples corrente de ouro ao redor de uma vela branca pode ser o centro de rituais de proteção.

O ouro também é utilizado para promover a sabedoria. Para essa finalidade, não se deve portá-lo consigo, mas dá-lo a outra pessoa incondicionalmente. Isso é feito para trazer iluminação ao doador.

Por ter sido sempre usado como meio de troca, e graças a seu grande valor, o ouro está sempre presente em rituais para atrair dinheiro. Isso pode parecer estranho. Se você tem ouro, por que realizar rituais para atrair dinheiro? Na verdade, tudo o que se precisa é uma quantidade mínima, até mesmo o fragmento de uma folha de ouro será suficiente. Você pode realizar rituais que envolvem ouro, gemas que atraem dinheiro e velas.

Joias com pepitas de ouro são usadas para trazer o fluxo contínuo de dinheiro para a vida do mago – mas, ressaltamos novamente, só para aqueles afortunados o bastante para possuírem tais joias. Acredita-se que sejam particularmente potentes para mineiros e para os que investem em mineração ou no comércio de metais preciosos.

Como símbolo do Sol, o ouro é utilizado em rituais de sucesso. Descobriu-se que o uso do ouro especialmente energizado é útil para aliviar a disfunção sexual masculina (impotência).

Pedras Boji*

Energia: Projetiva

Planeta: Marte

Elementos: Fogo, pó de Akasha, energias de proteção, de cura e de equilíbrio

Em uma viagem a Denver, o proprietário da livraria Isis colocou várias "pedras" de aparência bizarra em minhas mãos.

"Olhe aqui", disse ele. "O que são?"

Elas eram cinzentas, metálicas, pesadas. Seriam magnéticas? Não. Algumas eram ovais, com superfície granulada, bastante uniformes, enquanto outras eram pontilhadas com o que pareciam ser arestas de três lados de algum metal que havia formado cristais dentro da própria "pedra".

Algumas eram tubulares, parecendo duas pedras que haviam sido esmagadas e fundidas juntas.

"O que são?", perguntei confuso.

"Pedras Boji", respondeu Leon, sorrindo.

Bem, eu também nunca havia ouvido falar delas antes. Parece que tinham vindo de algum lugar no Kansas.

Ao segurar uma em cada mão, senti um tremendo fluxo de energia atravessar meu corpo.

Usos mágicos: As pedras Boji representam um enigma. Levei-as a peritos, mas eles também não têm certeza do que elas são – formas cristalinas de ferro? Pseudomorfas (em que substâncias orgânicas ou minerais são substituídas por metais)? Segundo me disseram, pelo menos uma das amostras parecia ser a vértebra fossilizada de algum antigo animal, e o osso fora substituído por uma forma de pirita.

Sejam o que forem, as pedras Boji emitem poderosas vibrações projetivas. Elas parecem úteis para equilibrar as energias do corpo com efeitos calmantes, de fundamento e de cura.

Uma mulher relatou que segurar uma dessas pedras na mão tirou a dor que sentia nessa parte do corpo.

Elas certamente são protetoras, uma vez que energizam nossas defesas psíquicas.

---

* Pedras Boji é uma marca registrada de Boji Inc.

Os Metais 195

Pirita

Outros nomes: Ouro de tolo, pirita, pirita de ferro
Energia: Projetiva
Elemento: Fogo
Poderes: Dinheiro, divinação, sorte

Tradição ritual/mágica: A pirita era usada pelos antigos mexicanos na fabricação de espelhos polidos, que podem ter sido usados para prever o futuro. Pedaços desse estranho mineral também eram colocados nas bolsas de itens medicinais dos antigos xamãs de tribos norte-americanas, talvez para proporcionar energia extra.

Na antiga China, essa pedra era usada para proteger contra ataques de crocodilo, um problema que, felizmente, a maioria de nós consegue evitar sem o auxílio da pedra.

Usos mágicos: Popularmente conhecida como ouro de tolo, a pirita é frequentemente associada ao ouro verdadeiro. Então quem, exatamente, é o tolo?

Por causa da cintilação amarelada e da natureza brilhante dessa "pedra", ela é usada para atrair riqueza e dinheiro. Coloque cinco pedaços de pirita em seu altar. Cerque-os com cinco velas verdes. Acenda as velas e visualize o dinheiro vindo em sua direção, satisfazendo suas necessidades financeiras.

Há pessoas que portam consigo a pirita para trazer dinheiro e sorte. Uma superfície plana e brilhante de pirita também pode servir de espelho mágico para despertar impulsos psíquicos. Portá-la consigo é excelente para atrair sorte.

Prata

Energia: Receptiva
Planeta: Lua
Elemento: Água
Divindades: Ísis, Diana, Luna, Selene, Lucina; todas as deusas da noite e da Lua
Pedras associadas: Esmeralda, pérola, jade, lápis-lazúli
Poderes: Invocação, amor, psiquismo, sonhos, paz, proteção, viagem, dinheiro

Tradição ritual/mágica: Prata é o metal da Lua. Por ser encontrada em sua forma pura, foi um dos primeiros metais a ser utilizados pelos humanos. A beleza e a raridade do metal fizeram com que fosse usado para fazer imagens divinas e peças para oferendas.

No mundo todo, a prata é identificada com as manifestações lunares da Grande Mãe, a eterna deusa. Até hoje, as altas sacerdotisas da religião Wicca e aqueles que veem a Lua como símbolo sagrado da deusa usam luas crescentes de prata em sua homenagem. Objetos de prata também são colocados no altar durante os rituais Wicca de lua cheia.

Os adoradores da Deusa podem tocar sinos de prata para invocar sua presença durante os rituais. Uma vez que o sino em si já é um símbolo da deusa, e já que a prata é dedicada a ela, este é o procedimento ritual mais eficiente e magicamente mais correto.

A prata é também um amuleto protetor bastante popular. Na China, as crianças pequenas são protegidas por medalhões de prata ao redor do pescoço. Casais franceses prestes a se casar também se protegem com correntes de prata. A noção de que balas de prata podem destruir vampiros e lobisomens foi difundida pela literatura moderna e pelo cinema.

Prata é o metal das emoções, da mente psíquica, do amor e da cura.

Usos mágicos: As joias de prata, ou pedras de poder como esmeraldas, pérolas, jade ou lápis-lazúli incrustadas em anéis de prata, são usadas para atrair amor. Ou então grave o símbolo de Vênus (♀) em um pequeno disco de prata. Coloque uma vela cor-de-rosa sobre o disco e deixe-a queimar, enquanto visualiza o amor entrando em sua vida.

Como a prata está ligada às emoções, algumas pessoas sentem-se emocionalmente sobrecarregadas ou excitadas ao usarem esse metal na época da lua cheia. Se isso ocorrer, fique atento e, se necessário, use alguma coisa de ouro para equilibrar. Ou simplesmente retire a prata.

A prata é também um metal que influencia o psiquismo e estimula a consciência mediúnica. Muitos videntes usam prata para mergulhar com mais facilidade no subconsciente.

Em noite de lua cheia, pratique a clarividência com prata. Exponha qualquer peça à luz da lua cheia. Acomode-se e segure a prata a cerca de dois pés de distância de seus olhos, apoiando sua mão. Capture o reflexo da Lua na prata e olhe fixamente até que se manifestem os impulsos psíquicos.

Usar joias de prata antes de dormir é um método para produzir sonhos proféticos. Se a peça for incrustada com pedras da lua ou qualquer outra pedra de vidência, o efeito será ainda mais poderoso. Uma alternativa é colocar um pedaço de prata debaixo do seu travesseiro. Silencie a mente quando se deitar sobre o metal. Visualize sua necessidade de um sonho profético. Veja a si mesmo lembrando os sonhos importantes pela manhã.

Se estiver com raiva ou nervoso, use alguma coisa de prata. Existe uma velha crença de que, se alguém for tocado com um anel de prata, não importa que pedra esteja nele, essa pessoa ficará calma imediatamente.

A prata é usada para fins de proteção. Como a Lua reflete a luz do Sol, assim também esse metal desvia a negatividade para longe do usuário. Pequenos globos de prata (ou qualquer joia de prata) são usados para dar segurança mágica. Luas crescentes, cujos "chifres" afastam o mal, são populares no mundo todo.

Também é costume transformar esse metal em joias que depois serão energizadas e usadas para manter alinhados os pensamentos e o estado de espírito do usuário.

Diz-se que a prata é particularmente potente para proteger os viajantes do perigo, especialmente o relacionado ao mar.

Por volta de dois terços da população mundial usam moedas de prata (ou banhadas em prata) como dinheiro. É extensivamente utilizada em magia para atrair dinheiro.

Programe uma moeda de dez centavos de dólar de prata com vibrações de atração de dinheiro. Se não tiver uma moeda de prata, use uma conta, ou outra peça pequena de prata (observação: apenas os *dimes* americanos fundidos antes de 1965 são totalmente de prata.) Coloque a peça dentro, ou debaixo de um castiçal, e depois energize uma vela verde. Queime a vela no castiçal e visualize um dinheiro inesperado chegando em sua vida.

PARTE QUATRO
Informações Complementares

Os Quadros

Estes quadros resumem parte das informações apresentadas na parte dois. Estão aqui para consulta rápida. A parte quatro é dividida em seis seções: Energia, Regentes Planetários, Regentes Elementais, Intenções Mágicas, Substituições Mágicas e Pedras do Signo.

Estes quadros correlacionam apenas informações sobre pedras, por considerações de tempo e de espaço. Para os metais, ou outras informações sobre as pedras, consulte o índice.

Lembre-se: essas classificações são apenas sugestões. Elas funcionam para mim, mas podem não funcionar para você. Crie seu próprio sistema, se sentir que este não é adequado para você.

Energia

Projetiva

Pedras projetivas são energizantes e úteis para cura, proteção, exorcismo, poderes intelectuais, sorte, sucesso, força de vontade, coragem e autoconfiança.

Ágata marrom	Lava
Ágata listrada	Mica
Ágata preta	Obsidiana
Ágata vermelha	Olho de tigre
Âmbar	Olho de gato
Amianto	Ônix
Aventurina	Opala
Calcita laranja	Pederneira
Citrino	Pedra de cachimbo
Cornalina	Pedra de cruz
Cristal de quartzo	Pedra do sol
Cristal de quartzo de Herkimer	Pedra-de-sangue
Cristal de quartzo rutilado	Pedra-pomes
Cristal de quartzo turmalinado	Rodocrosita
Diamante	Rodonita
Esfena	Rubi
Espinela	Sárdio
Fluorita	Sardônica
Granada	Serpentina
Hematita	Topázio
Jaspe mosqueado	Turmalina vermelha
Jaspe vermelho	Zircônia
Lágrima apache	

Receptiva

Essas pedras são calmantes, acabam com o estresse e são relacionadas com o amor, a sabedoria, a compaixão, a eloquência, o sono, os sonhos, a amizade, o crescimento, a fertilidade, a prosperidade, a espiritualidade, o psiquismo e o misticismo.

Ágata laço azul	Ágata verde
Ágata musgo	Água-marinha

Alume	Jaspe verde
Ametista	Kunzita
Azurita	Lápis-lazúli
Berilo	Madeira petrificada
Calcedônia	Madrepérola
Calcita azul	Malaquita
Calcita rosa	Mármore
Calcita verde	Olivina
Carvão	Opala
Carvão fossilizado	Pedra da lua
Celestita	Pedra de cruz
Coral	Pedras furadas
Crisocola	Peridoto
Crisoprásio	Pérola
Cristal de quartzo	Safira
Cristal de quartzo azul	Sal
Cristal de quartzo fumê	Selenita
Cristal de quartzo rosa	Sodalita
Cristal de quartzo verde	Sugilita
Esmeralda	Turmalina azul
Fósseis	Turmalina preta
Geodes	Turmalina rosa
Jade	Turmalina verde
Jaspe marrom	Turquesa

Planetas regentes

Sol

Essas pedras são úteis em assuntos legais, cura proteção, sucesso, iluminação, energia mágica e energia física. As velas usadas em rituais com essas pedras geralmente são laranja ou douradas.

Âmbar
Calcita laranja
Cornalina
Cristal de quartzo
Diamante
Enxofre
Olho de tigre
Pedra de cachimbo
Pedra do sol
Topázio
Zircônia

Lua

Essas pedras são adequadas para uso em rituais que envolvem o sono, sonhos proféticos, jardinagem, amor, cura, mar, casa, fertilidade, paz, compaixão e espiritualidade. Cores de velas: branca ou prata.

Água-marinha
Berilo
Calcedônia
Cristal de quartzo
Madrepérola
Pedra da lua
Pérola
Safira
Selenita

Mercúrio

Essas pedras são usadas para fortalecer os poderes mentais e para eloquência, divinação, estudos, autodesenvolvimento, comunicação, viagem e sabedoria. Cor de vela: amarela.

Ágata
Aventurina
Jaspe mosqueado
Mica
Pedra-pomes

Vênus

Pedras venusianas são úteis em rituais para promover amor, fidelidade, reconciliação, intercâmbios, beleza, juventude, alegria e felicidade, prazer, sorte, amizade, compaixão, meditação e em rituais que envolvam mulheres. Cor de vela: verde.

Azurita
Calcita azul
Calcita rosa
Calcita verde
Coral
Crisocola
Crisopase
Esmeralda
Jade
Jaspe verde
Kunzita

Lápis-lazúli
Olho de gato
Olivina
Peridoto
Sodalita
Turmalina azul
Turmalina melancia
Turmalina rosa
Turmalina verde
Turquesa

Marte

Essas pedras são úteis por promoverem coragem, agressividade, recuperação pós-cirúrgica, força física e política, vigor sexual, exorcismo, proteção, magia defensiva; também são adequadas para rituais que envolvam homens. Cor de vela: vermelha.

Amianto
Granada
Jaspe vermelho
Lava
Ônix
Pederneira
Pedra de cachimbo
Pedra-de-sangue

Rodocrosita
Rodonita
Rubi
Sárdio
Sardônica
Turmalina melancia
Turmalina vermelha

Júpiter

Essas pedras são boas para espiritualidade, meditação, psiquismo e rituais religiosos. Velas púrpuras podem ser queimadas em rituais juntamente com essas pedras.

Ametista
Lepidolita

Sugilita

Saturno

Pedras saturninas são úteis para ligação com a terra, concentração, proteção, purificação e sorte. Cores de velas: cinza e marrom.

Alume
Carvão
Carvão fossilizado
Hematita
Jaspe marrom
Lágrima apache

Obsidiana
Ônix
Sal
Serpentina
Turmalina preta

Observação: Em comum acordo com outros autores e magos, comecei a utilizar magicamente as energias de Urano, Netuno e Plutão, os três planetas desconhecidos pelos antigos. As informações mágicas relacionadas a eles ainda são limitadas e as opiniões variam enormemente. No futuro, mais pedras serão atribuídas à influência desses planetas. Por enquanto, aqui está a lista de pedras que eu coloquei, provisoriamente, sob a regência de Netuno e de Plutão (algumas dessas pedras são regidas também por outros planetas).

Netuno

Ametista
Celestita
Lepidolita

Madrepérola
Turquesa

Plutão

Espinela
Kunzita

Quartzo turmalinado

Regentes elementais

Terra

Pedras relacionadas a esse elemento são úteis para promover a paz, ligação com a terra e concentração de energias, fertilidade, dinheiro, negócios, estabilidade, jardinagem e agricultura. As velas usadas junto com essas pedras devem ser verdes.

- Ágata musgo
- Ágata verde
- Alume
- Calcita verde
- Carvão
- Carvão fossilizado
- Crisoprásio
- Esmeralda
- Estalactite
- Estalagmite
- Jaspe marrom
- Jaspe verde
- Kunzita
- Malaquita
- Olho de gato
- Olivina
- Peridoto
- Sal de rocha
- Turmalina preta
- Turmalina verde
- Turquesa

Ar

O ar é o elemento da comunicação, das viagens e do intelecto. Sua cor é o amarelo.

- Aventurina
- Esfena
- Jasper mosqueado
- Mica
- Pedra-pomes

Fogo

Pedras regidas pelo fogo são usadas para proteção, magia defensiva, energia mágica, força física, coragem, força de vontade (como quando se faz uma dieta) e purificação. Cor de vela: vermelha.

Ágata listrada	Obsidiana
Ágata marrom	Olho de tigre
Ágata preta	Ônix
Ágata vermelha	Pederneira
Âmbar	Pedra de cachimbo
Amianto	Pedra do sol
Citrino	Pedra-de-sangue
Cornalina	Rodocrosita
Cristal de quartzo	Rubi
Diamante	Sárdio
Enxofre	Sardônica
Granada	Serpentina
Hematita	Topázio
Jaspe vermelho	Turmalina melancia
Lágrima apache	Turmalina vermelha
Lava	Zircônia

Água

As pedras desse elemento são usadas em rituais de amor e cura, e para estimular compaixão, reconciliação, amizade, purificação, combate ao estresse, paz, sono, sonhos e psiquismo.

Ágata laço azul	Calcita azul
Água-marinha	Calcita rosa
Ametista	Celestita
Azurita	Coral
Berilo	Crisocola
Calcedônia	Cristal de quartzo

Geodes
Jade
Lápis-lazúli
Lepidolito
Madrepérola
Pedra da lua
Pedras furadas
Pérola

Safira
Selenita
Sodalita
Sugilita
Turmalina azul
Turmalina rosa
Turmalina verde

Akasha

Esse é o quinto elemento, e suas pedras são geralmente de origem orgânica, ou seja, substâncias de criaturas vivas, ou fósseis de animais e plantas mortos há muito tempo. São úteis em uma variedade de aplicações mágicas, inclusive longevidade e regressão a vidas passadas.

Âmbar
Carvão fossilizado
Coral

Fósseis
Madeira petrificada
Madrepérola

Intenções mágicas

Nessa lista estão algumas das pedras recomendadas para uso ritual com diversas finalidades. Nem todas as intenções mágicas estão listadas aqui; para quaisquer outras, consulte o índice.

Projeção astral

Cristal de quartzo turmalinado

Opala

Beleza

Âmbar
Jaspe
Olho de gato

Opala
Zircônia laranja

Sucesso nos negócios

Malaquita
Pedra-de-sangue
Turmalina verde
Zircônia amarela

Concentração

Calcita
(veja também ligação com a terra)
Zircônia marrom

Partos

Geodes
Pedra-pomes
Sárdio

Coragem

Ágata
Água-marinha
Ametista
Cornalina
Diamante
Lápis-lazúli
Olho de tigre
Pedra-de-sangue
Sárdio
Sardônica
Turmalina vermelha
Turquesa

Magia defensiva

Lava
Ônix
Safira

Dietas

Pedra da lua
Topázio

Divinação

Azurita
Hematita

Carvão fossilizado   Mica
Obsidiana   Pederneira
Olho de tigre   Pedra da lua

Sonhos

Ametista   Azurita

Eloquência

Celestita   Sardônica
Cornalina

Amizade

Crisoprásio   Turquesa
Turmalina rosa

Jogos de azar

Amazonita   Olho de gato
Aventurina

Jardinagem

Ágata   Malaquita
Jade   Zircônia marrom

Ligação com a terra

Hematita   Pedra da lua
Kunzita   Sal
Obsidiana   Turmalina preta

Felicidade

Ametista   Zircônia amarela
Crisoprásio

Cura/saúde

- Ágata
- Âmbar
- Ametista
- Aventurina
- Azurita
- Calcita
- Carvão fossilizado
- Celestita
- Coral
- Cornalina
- Crisoprásio
- Cristal de quartzo
- Diamante
- Enxofre
- Estaurolita
- Granada
- Hematita
- Jade
- Jaspe
- Lápis-lazúli
- Madeira petrificada
- Olho de gato
- Pederneira
- Pedra do sol
- Pedra-de-sangue
- Pedras furadas
- Peridoto
- Safira
- Sodalita
- Sugilita
- Topázio
- Turquesa
- Zircônia vermelha

Longevidade

- Ágata
- Fósseis
- Jade
- Madeira petrificada

Amor

- Ágata
- Alexandrita
- Âmbar
- Ametista
- Berilo
- Calcita
- Crisocola
- Esmeralda
- Jade
- Lápis-lazúli
- Lepidolita
- Malaquita

Olivina
Pedra da lua
Pérola
Rodocrosita
Safira

Sárdio
Topázio
Turmalina rosa
Turquesa

Sorte

Alexandrita
Âmbar
Aventurina
Calcedônia
Carvão fossilizado
Crisoprásio
Lágrima apache
Lepidolita

Olho de tigre
Olivina
Opala
Pedra de cruz
Pérola
Sardônica
Turquesa

Poderes mágicos

Cristal de quartzo
Malaquita
Opala

Pedra-de-sange
Rubi

Meditação

Geodes
Safira

Sodalita

Poderes mentais

Aventurina
Esfena
Esmeralda

Fluorita
Zircônia

Dinheiro, riqueza, prosperidade, bens

Aventurina
Calcita
Carvão
Crisoprásio
Esmeralda
Espinela
Estaurolita
Jade
Madrepérola
Olho de tigre
Olho de gato
Olivina
Opala
Pedra-de-sangue
Peridoto
Pérola
Rubi
Safira
Sal
Topázio
Turmalina verde
Zircônia marrom, verde, vermelha

Evitar pesadelos

Calcedônia
Carvão fossilizado
Citrino
Lepidolita
Pedras furadas
Rubi

Paz

Água-marinha
Ametista
Aventurina
Calcedônia
Calcita
Coral
Cornalina
Crisocola
Diamante
Kunzita
Lepidolita
Malaquita
Obsidiana
Rodocrosita
Rodonita
Safira
Sardônica
Sodalita
Turmalina azul

Energia física

Berilo
Calcita
Espinela
Olho de tigre
Pedra do sol

Rodocrosita
Selenita
Turmalina vermelha
Zircônia vermelha

Força física

Ágata
Âmbar
Diamante

Granada
Pedra-de-sangue

Proteção

Ágata
Alume
Âmbar
Amianto
Calcedônia
Calcita
Carvão fossilizado
Citrino
Coral
Cornalina
Crisoprásio
Cristal de quartzo
Diamante
Enxofre
Esmeralda
Estaurolita
Fósseis

Granada
Jade
Jaspe
Lágrima apache
Lápis-lazúli
Lava
Lepidolita
Madeira petrificada
Madrepérola
Malaquita
Mármore
Mica
Obsidiana
Olho de tigre
Olho de gato
Olivina
Ônix

Pederneira
Pedra da lua
Pedra do sol
Pedra-pomes
Pedras furadas
Peridoto
Pérola
Rubi
Sal

Sárdio
Sardônica
Serpentina
Topázio
Turmalina preta
Turmalina vermelha
Turquesa
Zircônia transparente
Zircônia vermelha

Psiquismo

Água-marinha
Ametista
Azurita
Berilo
Citrino

Cristal de quartzo
Esmeralda
Lápis-lazúli
Pedras furadas

Purificação

Água-marinha
Calcita

Sal

Reconciliação

Diamante

Selenita

Energia sexual

Cornalina
Pedra do sol

Zircônia amarela

Sono

Pedra da lua
Peridoto

Turmalina azul

Espiritualidade

Calcita
Diamante
Esfena

Lepidolita
Sugilita

Sabedoria

Coral
Crisocola
Jade

Sodalita
Sugilita

Sucesso

Amazonita
Crisoprásio

Mármore

Viagem

Calcedônia

Zircônia laranja

Substituições mágicas

Essa é uma lista de substituições mágicas para pedras que você pode não ter em mãos quando precisar. Há outros substitutos igualmente eficientes – essas são apenas sugestões para as principais pedras.

Água-marinha: Berilo, Esmeralda
Amazonita: Aventurina
Aventurina: Amazonita
Berilo: Água-marinha, esmeralda
Carvão fossilizado: Obsidiana
Citrino: Topázio
Coral: Cornalina, jaspe vermelho
Cornalina: Coral, jaspe vermelho, sárdio

Crisocola:	Turquesa
Diamante:	Diamante de Herkimer, quartzo, zircônia
Esmeralda:	Água-marinha, berilo, turmalina verde, peridoto
Estaurolita:	Pedra de cruz
Granada:	Turmalina vermelha, rubi
Jade:	Jaspe verde, turmalina verde
Jaspe verde:	Jade
Jaspe vermelho:	Cornalina
Kunzita:	Turmalina rosa
Lápis-lazúli:	Sodalita
Olho de tigre:	Olho de gato
Olho de gato:	Olho de tigre
Olivina:	Turmalina verde, peridoto
Pedra da lua:	Madrepérola
Pedra de cruz,:	Estaurolita
Pedra do sol:	Cornalina
Peridoto:	Turmalina verde, olivina
Pérola:	Pedra da lua, madrepérola
Rubi:	Granada, turmalina vermelha
Safira:	Ametista, turmalina azul, zircônia azul
Sárdio:	Cornalina
Sodalita:	Lápis-lazúli
Sugilita:	Lápis-lazúli
Topázio:	Citrino, turmalina amarela
Turmalina azul:	Zircônia azul
Turmalina verde:	Olivina, peridoto
Turmalina vermelha:	Granada, rubi
Turquesa:	Crisocola

Observação: Os cristais de quartzo podem ser carregados com os atributos mágicos de qualquer pedra, assim como as opalas, por meio da visualização de tais atributos.

Pedras dos signos

Evitei mencioná-las no texto. Em parte, porque muitos outros livros já apresentaram diversas pedras para cada um dos signos do zodíaco. Além disso, há pouca concordância quanto às pedras dos signos "corretas".

Apesar de não ser uma antiga tradição mágica, elas são bem conhecidas hoje em dia; um livro como este não seria completo sem um exame delas, mesmo que breve. Esse é o motivo das listas seguintes.

Assim como todo simbolismo mágico, essas correspondências são apenas sugestões. Baseiam-se (de modo geral) no(s) planeta(s) regente(s) de cada signo.

Se decidir usar uma pedra porque ela está associada com seu signo solar, lembre-se da fazê-lo *apenas* se desejar trazer as influências daquela determinada pedra para sua vida.

Áries
Granada
Pedra-de-sangue
Rubi

Touro
Esmeralda
Jade
Lápis-lazúli

Gêmeos
Ágata
Aventurina
Safira

Câncer
Berilo
Pedra da lua

Leão
Âmbar
Cornalina
Diamante

Virgem
Ágata
Aventurina
Topázio

Libra
Crisoprásio
Lápis-lazúli
Turquesa

Escorpião
Espinela
Kunzita
Quartzo turmalinado

Sagitário
Ametista
Ônix
Sugilita

Capricórnio
Hematita
Lágrima apache

Aquário
Água-marinha
Carvão fossilizado
Fósseis

Peixes
Ametista
Sugilita

Fontes

Embora possamos encontrar pedras em todos os lugares ao nosso redor, aquelas menos comuns podem ser difíceis de obter.
Conforme ressaltei no capítulo 6, as pedras podem ser compradas em lojas de pedras ou em lapidários locais. Muitos museus de História Natural também vendem exemplares de pedras.

Além disso, existem várias fontes confiáveis de vendas pelo correio. A lista mais atualizada dos fornecedores que desejam vender pedras pelo correio pode ser encontrada na edição mais recente do *Lapidary Journal*. Ali está a lista de comerciantes que vendem estaurolita, fósseis, olho de gato, turmalina e muitas outras pedras e minerais.

Embora não seja direcionada para a magia, a revista também contém artigos sobre a tradição e a arqueologia das pedras, assim como belas fotografias coloridas. O endereço deles é:

Lapidary Journal
P.O. Box 56288
Boulder, CO 80323-6288
1-800-676-4336
EUA
www.lapidaryjournal.com

A Boji Inc. é a fonte original dos misteriosos objetos que eles chamaram de pedras Boji, e oferecem exemplares da mais alta qualidade. Entre em contato com:

Boji Inc. – 4682 Shaw Blvd.
Westminster, CO 80030
EUA – www.bojistones.com

A Isis, também conhecida como Isis Books, é uma loja e livraria que fica em Denver [Colorado, Estados Unidos] e possui grande variedade de produtos ocultistas. A seleção de cristais e de pedras que oferecem é ampla e variada. Entre outras curiosidades, Isis oferece as raras pedras Boji, que foram apresentadas a mim enquanto estava lecionando naquela cidade, em maio de 1987. Escreva ou acesse o *site* para mais informações sobre os preços do catálogo.

Isis – 5701 E. Colfax Ave.
Denver, CO 80220
1-800-808-0867
EUA – www.isisbooks.com

Uma Silbey, autora das bem-sucedidas obras *The Complete Crystal Guidebook* e *Crystal Ball Gazing*, traz uma ótima seleção de joias e ferramentas de cristal e pedra. Entre em contato por meio da Lost Mountain no número (415) 454-3750.

Lost Mountain – P.O. Box 429
Fairfax, CA 94978
EUA – www.coolstones.com

A Eye of the Cat tem suprimentos para magia, inclusive cristais e pedras. Ficarão felizes com seu telefonema no número (562) 438-3569, ou então visite o *site*.

Eye of the Cat – 3314 E. Broadway
Long Beach, CA 90803
(562) 438-3569
EUA – www.eyeofthecat.com

A Cristal Cave é uma das lojas de produtos ocultistas e metafísicos mais antigas e bem estabelecidas da região de Los Angeles. Possuem cristais de quartzo e muitas pedras incomuns, inclusive meteorito. Peça um catálogo ou outras informações pelo endereço:

The Crystal Cave – 415 West Foothill Blvd.
Claremont, CA 91711
EUA

Glossário

Adivinhação: A arte mágica de revelar o desconhecido por meio da interpretação de padrões ou de símbolos aleatórios dentro de nuvens, bolas de cristal, pedras refletivas, cartas de tarô, chamas, **pêndulos** (veja também) e fumaça. A adivinhação entra em contato com a **mente psíquica** (veja também) enganando ou entorpecendo a mente consciente por meio de rituais e de visualizações ou da manipulação de instrumentos. Aqueles que conseguem estabelecer facilmente a comunicação com a mente psíquica não precisam praticar adivinhações, embora possam fazê-lo.

Akasha: O quinto elemento, o poder espiritual onipresente que permeia o Universo. Está relacionado ao espaço exterior, ao espaço interno, ao não manifesto e à força vital. Veja também **elementos**.

Alta sacerdotisa: Praticante de Wicca do sexo feminino que alcançou nível elevado dentro da religião, tendo passado por vários testes e recebido (geralmente) três iniciações.

Amuleto: Objeto magicamente energizado que deflete energias; objeto protetor, geralmente usado em alguma parte do corpo ou portado com seu usuário. Veja também **talismã**.

Ataque psíquico: O suposto direcionamento de energia negativa em direção a outras pessoas para fazer-lhes mal; um "feitiço" ou "maldição". Hoje em dia são raros ou, quem sabe, inexistentes.

Bolsa de poder: A fonte de poder de um **xamã** (veja também), um saco de tecido, de pele de animal, etc, em que os cristais de quartzo, pedras, tambores, chocalhos e outros objetos mágicos são colocados.

Bolsa medicinal: Veja **bolsa de poder**.

Bruxaria: Geralmente magia popular – isto é, encantos práticos e mundanos destinados a melhorar a vida daquele que lança os encantamentos. Normalmente confundem-se os termos Bruxaria e **Wicca** (veja também). Muitos daqueles que se intitulam "bruxos" não são wiccanos, mas feiticeiros ou magos.

Cabochão: Uma pedra cortada e polida, redonda, oval ou quadrada com um lado "rústico". Cabochões são frequentemente usados como joias.

Carregar: Imbuir poder de forma mágica, geralmente utilizando a visualização para direcionar o poder para dentro de um objeto ou lugar.

Consciência profunda: A **mente psíquica**. (veja também)

Disfunção Sexual: A incapacidade de envolver-se, manter ou apreciar atividades sexuais compartilhadas. Os dois tipos de disfunção são impotência e frigidez.

Efeito olho de gato: A propriedade, encontrada em muitas pedras de apresentar movimento, iluminação ou opalescência dentro da própria pedra. Olho de tigre, olho de gato, pedra da lua, pedra do sol e muitas outras exibem esse fenômeno.

Electrum: O produto da mistura de diversos metais como ouro e prata. Raro na natureza, o electrum tem uma longa história na magia.

Elementos: Terra, ar, fogo e água. Essas quatro essências são os blocos construtores do Universo. Tudo o que existe (ou que tem potencial para existir) contém uma ou mais dessas energias. Os elementos também existem livremente no mundo e dentro de nós mesmos, e podem ser utilizados por meio da magia para provocar mudanças. Veja também **Akasha**.

Encantamento: Rito mágico, de natureza não religiosa, frequentemente acompanhado de palavras faladas.

Energia projetiva: Aquela que é elétrica, que move para a frente, ativa. A energia projetiva é protetora. Veja também **energia receptiva**.

Glossário

Energia receptiva: O oposto de **energia projetiva** (veja também); energia magnética, tranquilizante e de atração, utilizada frequentemente para meditação, para promover amor, calma e tranquilidade.

Estriação: Ranhuras finas ou linhas que são encontradas em certas pedras, como a kunzita.

Kahuna: Praticante do antigo sistema filosófico, científico e mágico havaiano; perito, mago, sacerdote ou sacerdotisa.

Magia: O ato de estimular, direcionar e liberar energia para atingir um objetivo. A arte de usar forças pouco compreendidas, mas naturais, para provocar a mudança necessária.

Mago: Aquele que pratica magia.

Mão projetiva: Nos destros, é a mão direita. Nos canhotos, a esquerda. Essa é a mão por meio da qual a energia mágica passa ao sair do corpo. Veja também **mão receptiva**.

Mão receptiva: A mão esquerda para os destros; a direita para os canhotos. Essa é a mão por meio da qual a energia é absorvida pelo corpo. Veja também **mão projetiva**.

Meditação: Reflexão, contemplação, voltar-se para dentro de si mesmo. Tempo em silêncio em que o praticante pode fixar-se em determinados pensamentos ou símbolos, ou permitir que eles venham livremente.

Mente psíquica: A mente subconsciente ou profunda, na qual recebemos impulsos psíquicos. A mente psíquica está funcionando quando dormimos, sonhamos, meditamos, fazemos **adivinhação** (veja também) e experimentamos intuições ou consciência psíquica espontâneas.

Olho gordo: O olhar supostamente capaz de infligir grande mal aos outros. Veja também **ataque psíquico**.

Pêndulo: Um instrumento de **adivinhação** (veja também) que consiste em um cordão preso a um objeto pesado, tal como um cristal de quartzo, uma raiz ou um anel. A ponta livre do cordão é segurada na mão com o cotovelo apoiado em uma superfície plana, quando então se faz uma pergunta. O movimento do objeto pesado determina a resposta. É um instrumento que faz contato com a **mente psíquica** (veja também).

Pentagrama: Uma estrela de cinco pontas, visualizada com a ponta para cima, que representa os cinco sentidos, os **elementos** (veja também), a mão, o corpo humano. É um símbolo protetor que se sabe ter sido usado desde os dias da antiga Babilônia. Hoje em dia, é frequentemente relacionado à **Wicca** (veja também).

Projeção astral: O ato de separar a consciência do corpo físico e de movimentá-la à vontade.

Psiquismo: O ato de estar conscientemente psíquico.

Reencarnação: A doutrina do renascimento. O fenômeno das repetidas encarnações na forma humana para permitir a evolução da alma, que não tem sexo nem idade.

Runas: Letras em forma de bastões, remanescentes dos antigos alfabetos. Esses símbolos são entalhados ou pintados em pedras, que são então usadas para determinar possíveis tendências futuras. São também usadas em magia com imagens; é antiga a crença de que possuem poderes.

Talismã: Um objeto carregado (veja **carregar**) com energia mágica para atrair uma força ou poder específico para seu portador. Veja também **amuleto**.

Visualização: O processo de formar imagens mentais. Em magia, as imagens são formadas a partir do objeto mágico necessário e usadas para direcionar a energia e provocar a mudança.

Wicca: Uma religião pagã contemporânea com raízes espirituais no **xamanismo** (veja também) e nas primeiras expressões de reverência pela natureza como manifestações da divindade. Caracteriza-se, entre outras coisa, pela reverência à energia universal, fonte suprema de toda a vida, como uma deusa e um deus.

Glossário

Xamã: Homem ou mulher que obteve conhecimento de outras dimensões, assim como da terra, geralmente por períodos em estados alternados de consciência. Esse conhecimento dá ao xamã o poder de mudar este mundo por meio da magia. Antigamente, eram denominados "curandeiros" e "doutores feiticeiros" (de forma depreciativa); hoje em dia, entretanto, os xamãs são respeitados como depositários da cura tradicional e do conhecimento mágico e psicológico.

Xamanismo: A prática dos **xamãs** (veja também), geralmente de natureza ritualística ou mágica, às vezes de cunho religioso.

Yin/Yang: Os polos gêmeos de energia. O conceito *yin/yang* é um sistema de visão das energias universais. *Yin* corresponde à **energia receptiva** (veja também) e *yang* à **energia projetiva** (veja também).

Bibliografia Comentada

Em um esforço para fazer deste livro tão completo quanto possível, recorri a um grande número de fontes.

Descrevi meus experimentos e minhas experiências com pedras; questionei lapidadores amigáveis, caçadores de pedras e proprietários de pedras; atormentei meus amigos wiccanos e magos, e passei muitas noites e muitas manhãs lendo prateleiras de livros e revistas para suplementar as informações em primeira mão que estava compilando. Tentei não aceitar de primeira as palavras dos autores. Sempre que possível, confrontei as informações encontradas nos livros com as fontes vivas.

Os livros e os artigos de revista citados a seguir são uma amostra representativa daqueles que estudei. Qualquer pessoa que desejar mergulhar mais profundamente nos mistérios da magia com pedras poderá fazê-lo com a literatura dessas obras.

Acrescentei pequenos comentários sobre cada fonte.

Boa leitura!

Adams, Evangeline. *Astrology for Everyone*, Philadelphia: Blaksiton, 1931.

Essa obra, um dos primeiros livros populares da era atual sobre astrologia, contém algumas informações conflitantes, mas interessantes, sobre as pedras dos signos.

Agrippa, Henry Cornelius. *The Philosophy of Natural Magic*. Antuerp, 1531. Reimpressão. Secaucus, NJ.: University Books, 1974.

A obra clássica de Agrippa contém informações sobre os usos mágicos das pedras, assim como de suas correspondências planetárias.

"Aima". *Perfumes, Candles, Seals, and Incense*. Los Angeles: Foibles, 1975.

Esse livro contém um ótimo capítulo sobre os usos mágicos das pedras preciosas.

Alderman, Clifford Lindsey. *Symbols of Magic: Amulets and Talismans*. New York: Julian Messner, 1977.

Contém informações interessantes, geralmente colhidas de fontes básicas, relativas às pedras.

Banis, Victor. *Charms, Spells and Curses for the Millions*. Los Angeles: Sherbourne Press, 1970.

Livro repleto de saberes relativos às pedras, provenientes de uma variedade de fontes (eu sempre ignoro as partes que falam de "maldições").

Bannerman-Phillips, E. Ivy A. *Amulets and Birthstones: Their Astrological Significance*. Los Angeles: Llwellyn, 1950.

Um abrangente apanhado de todas as eras sobre magia e tradições com gemas.

Barrett, Francis. *The Magus, or Celestial Intelligencer*. London, 1801. Reimpressão. New York: University Books, 1967.

Barrett repete muitas das informações de Agrippa sobre as pedras, mas também inclui informações novas relacionando as pedras aos elementos.

Beckwith, Martha. *Hawaiian Mythology*. Honolulu: University Press of Hawaii, 1940. Reimpressão. Honolulu: University Press of Hawaii, 1979.

Informações relativas ao uso místico e ao simbolismo das pedras no antigo Havaí são encontradas nessa obra completa.

Best, Michael R., e Frank H. Brightman, eds. *The Book of Secrets of Albertus Magnus of the Virtues of Herbs, Stones and Certain Beasts.* London: Oxford University Press, 1979.

Tradução literária, inteligível, dos manuscritos de pseudo-Albertus Magnus, cujas primeiras coletâneas foram publicadas na Inglaterra por volta de 1550. As informações mágicas relativas às pedras nesse livro são um tanto estranhas, mas podem ser encontradas informações úteis, e é bom pensar que, antes de mais nada, a obra tem mais de 400 anos.

Bowness, Charles. *The Witch's Gospel.* Londres: Robert Hale, 1979.

Informações mágicas sobre azeviche.

Budge, E. A. Wallis. *Amulets and Talismans.* New Hyde Park, N.Y.: University Books, 1968.

Talvez o clássico sobre objetos mágicos, o livro de Budge tem exercido influência profunda sobre autores contemporâneos. Excelente pesquisa da antiga magia com pedras. Esse trabalho, juntamente com o de Kunz e talvez o de Fernie, contém mais informações sobre magia que a maioria dos livros citados aqui juntos.

Cirlot, J. E. *A Dictionary of Symbols.* New York: Philosophical Library, 1962.

O simbolismo dos fósseis, meteoritos, ferro, ouro, etc., é abordado aqui com sugestões de aplicações mágicas.

Clifford, Terry. *Cures.* New York: Macmillan, 1980.

Esse olhar inteligente sobre medicina popular, antiga e moderna, inclui algumas referências a gemas e cristais.

Coffin, Tristram P., e Hennig Cohen, eds. *Folklore in America.* Garden City, N.Y.: Anchor, 1970.

Informações sobre ferro e anéis.

Crow, W.B. *Precious Stones: Their Occult Power and Hidden Significance.* London: Aquarian Press, 1970.

Na obra são apresentadas algumas interessantes informações sobre a correspondência entre pedras, planetas e divindades.

Daniels, Coa Linn, ed. *Encyclopedia of Superstitions, Folklore and the Occult Sciences of the World.* 3 vols. Detroit: Gale Research Co. 197q.

O capítulo intitulado "The Mineral Kingdom" é uma excelente coletânea de magias e de tradições ligadas às pedras.

De Lys, Claudia. *A Treasury of American Superstitions*. New York: Philosophical Library, 1948.

O pequeno capítulo intitulado "Eyes of the Gods" diz respeito à magia com gemas.

Eichler, Lilian. *The Customs of Mankind*. Garden City, N.Y.: Doubleday, 1924.

Informações sobre as correspondências mágicas do ferro.

Eliade, Mircea. *Imagens e Símbolos: Ensaio sobre o Simbolismo Mágico-Religioso*. São Paulo: Martins Fontes, 1991.

Mitos e usos rituais do coral.

Elkin, A. P. *The Australian Aborigines*. New York: Doubleday, 1964.

Informações relativas aos usos aborígenes dos cristais de quartzo.

Evans, Joan. *Magical Jewels of the Middle Ages and the Renassaince*. 1922. Reimpressão. New York: Dover, 1976.

Análise científica dos lapidários mágicos desde os tempos mais remotos até o século XVIII. Interessante, mas contém muitas análises em latim, grego e francês, e até em espanhol arcaico.

Fernie, William T. *The Occult and Curative Powers of Precious Stones*. 1907. Reimpressão. New York: Harper & Row, 1973.

Outro livro básico. Embora as informações sejam mal organizadas, a obra contém análises de dezenas de pedras. Muitas das informações de Fernie são retiradas de manuscritos medievais e da Renascença, e por isso não podem ser encontradas em outros lugares, exceto, talvez, no livro de Kunz.

Fielding, William J. *Strange Superstitions and Magical Practices*. New York: Macmillan, 1956.

Esse livro de Fielding, de título sugestivo, contém um excelente capítulo sobre magia com gemas e rituais folclóricos.

Frazer, James. *The Golden Bough: A Study in Magic and Religion*. New York: Macmillan, 1956.

Esse livro inclui usos rituais das pedras.

Ghosn, M. T. *Origin of Birthstones and Stone Legends*. Lomita, Calif.: Inglewood Lapidary, 1984.

Consegui esse livro em uma exposição de pedras. É um belo apanhado sobre magia e tradições sobre o assunto.

Giles, Carl H., e Barbara Ann Willians. *Bewitching Jewelry: Jewelry of the Black Art*. Cranbury, N.J.: A.S. Barnes, 1976.

> Esse livro curioso contém um capítulo sobre joalheria ocultista em geral, e uma lista curta de gemas e de suas qualidades mágicas.

Gleadow, Rupert. *The Origin of the Zodiac*. New York: Atheneum, 1968.

> Inclui um capítulo sobre pedras astrológicas do signo, confrontando vários sistemas diferentes.

Gregor, Arthur S. *Amulets, Talismans and Fetiches*. New York: Scribner's, 1975.

> Livro escrito para "leitores jovens", inclui muitas informações sobre a magia com pedras usadas como amuletos e talismãs.

Hand, Wayland, Anna Cassetta, e Sondra B. Theiderman, eds. *Popular Beliefs and Superstitions: A Compendium of American Folklore*. 3 vols. Boston: G. K. Hall, 1981.

> Essa monumental coleção inclui muitas referências a crenças populares, rituais e encantamentos envolvendo gemas, "rochas" e joias.

Harner, Michael. *The Way of the Shaman*. New York: Harper & Row, 1980.

> A introdução de Harner ao xamanismo contém algumas informações sobre o cristal de quartzo.

Harvey, Anna. *Jewels*. New York: Putnam's, 1981.

> Livro simpático, belamente ilustrado, que faz uma relação de lendas e tradições relativas às pedras.

Hayes, Carolyn H. *Pergemin: Perfumes, Incenses, Colors, Birthstones, Their Occult Properties and Uses*. Chicago: Aries Press, 1937.

> Esse panfleto contém um excelente capítulo sobre os usos mágicos de pedras e refere-se, brevemente, a pedras do signo.

Hodges, Doris M. *Healing Stones*. Perry: Pyramid Pubishers of Iowa, 1961.

> O livro contém capítulos curtos sobre 16 gemas, analisando suas origens mitológicas e mágicas.

Isaacs, Thelma. *Gemstones, Crystals and Healing*. Black Mountain, N.C.: Lorien House, nd.

> Belo livro sobre magia com pedras, com ênfase em suas propriedades curativas.

Kapoor, Gouri Shanker. *Gems and Astrology: A Guide to Health, Happiness and Prosperity*. New Delhi, India: Ranjan Publications, 1985.

Análise contemporânea da antiga e moderna magia indiana com gemas e pedras, dando ênfase a astrologia e cura.

Kenyon, Theda. *Witches Still Live*. New York: Ives Washburn, 1929.

Essa agradável coletânea de folclore e magia contém algumas noções sobre as tradições das pedras.

Krythe, Maymie. *All About the Months*. New York: Harper & Row, 1966.

Esse fascinante compêndio de antigas tradições contém artigos sobre pedras do signo.

Kunz, George Frederick. *The Curious Lore of Precious Stones*. Philadelphia: Lippincott, 1913, 1941. Reimpressão. New York: Dover, 1977.

Outra obra clássica, o livro de Kunz é fonte fundamental para estudantes e praticantes de magia com pedras. Suas informações são tiradas de antigos livros e de manuscritos (a propósito, a pedra kunzita recebeu esse nome em homenagem ao sr. Kunz).

Kunz, George Frederick. *Rings for the Finger*. 1917. Reimpressão. New York: Dover, 1973.

Profunda investigação sobre anéis ao longo da história. Dois capítulos discutem anéis mágicos e curativos.

Lame Deer, John (Fire), e Richard Erdoes. *Lame Deer, Seeker of Visions*. New York: Quokka, 1978.

Discussões sobre o simbolismo da pedra de cachimbo entre os sioux.

Leach, Maria, ed. *Standard Dictionary of Folklore, Mythology and Legend*. New York: Funk & Wagnalls, 1972.

Esse excelente dicionário contém muitos artigos sobre tradições e magias com pedras.

Leland, Charles Godfrey. *Etruscan Magic and Occult Remedies*. New Hyde Park, N.Y.: University Books, 1963.

A divinação com chumbo é o assunto desse livro fascinante.

Masse, Henri. *Persian Beliefs and Customs*. New Haven: Human Relations Area Files, 1954.

Nesse volume curiosamente abrangente, é possível encontrar magia com rochas e pedras.

Maple, Eric. *Superstition: Are You Superstitious?* Cranbury, N.J.: A. S. Barnes, 1972.

Um pouco de magia com pedras.

Mella, Dorothee L. *Stone Power: The Legendary and Practical Use of Gems and Stones.* Albuquerque, N. Mex.: Domel, 1976.

O trabalho de Mella, um dos primeiros livros que provocaram a atual onda de interesse na magia com pedras, é uma bela introdução ao assunto. Uma edição revisada da obra está agora disponível, com o título de *Stone Power II*.

Paulsen, Kathryn. *The Complete Book of Magic and Witchcraft.* New York: Signet, 1971.

Outro excelente compêndio com excertos de vários escritos antigos, essa obra analisa numerosas pedras e seus usos mágicos.

Pavitt, William. *The Book of Talismans, Amulets and Zodiacal Gems.* 1914. Reimpressão. No. Hollywood: Wilshire, 1970.

(Embora o nome "William Pavitt" apareça na lombada e na capa como sendo o autor desse livro, os verdadeiros autores parecem ser William Thomas e Kate Pavitt). Apresenta uma boa seção sobre gemas.

Pearl, Richard M. *How to Know the Minerals and Rocks.* New York: Mc Graw-Hill, 1955.

Trabalho que não trata de magia, mas descreve 125 gemas, minerais e rochas.

Pliny the Elder (Caius Plinius Secundus). *Natural History.* Cambridge: Harvard University Press, 1956.

Esse trabalho monumental apresenta muito da magia com pedras praticada em Roma por volta do primeiro século da Era Cristã. É amplamente citado em outros livros. Embora Plínio seja um cético, ele registrou corretamente muitas das antigas crenças mágicas.

Randolph, Vance. *Ozark Superstitions.* New York: Cambridge University Press, 1947.

Crenças sobre anéis e joias dos povos que vivem em Ozarks.

Raphael, Katrina. *Crystal Enlightenment: The Transforming Properties of Crystals and Healing Stones* Vol. 1. New York: Aurora Press, 1985.

Um dos "novos" livros sobre cura com pedras, essa obra contém muitas informações aproveitáveis e coerentes, que em parte foram "canalizadas" mediunicamente.

Raphael, Katrina. *Crystal Healing: The Therapeutic Application of Crystals and Stones* Vol. 2. New York: Aurora Press, 1987.

Mais do mesmo material, também "canalizado". É uma leitura interessante, mas grande porção do conteúdo parece um tanto forçada para mim. Parte do livro envolve-se em alguns métodos fascinantes de colocar pedras diretamente sobre o corpo para ativar os chacras (a propósito, você pode tranquilamente ignorar muito do que está no título da obra. Não existe volume 1 deste livro, nem volume 2 das obras mencionadas).

Richardson, Wally, Jenny Richardson, e Lenora Huett. *Spiritual Value of Gemstones*. Marina del Rey, Calif.: Devorss, 1980.

Essa obra, outro livro que foi "canalizado", contém algumas informações excelentes sobre pedras, embora seja prejudicado pela terminologia sexista não intencional.

Schmidt, Phillip. *Superstition and Magic*. Westminster, Md.: Newman Press, 1963.

Esse livro, escrito por um jesuíta, contém algumas informações importantes sobre magia com gemas, se você ignorar a evidente desaprovação do assunto pelo autor.

"Seleneicthon". *Applied Magic*. Hialeah, Fla.: Mi-World, n.d.

Correspondêcias planetárias das pedras.

Shah, Sayed Idries. *The Secret Lore of Magic*. New York: Citadel, 1970.

Informações planetárias relativas a gemas são encontradas nessa coleção de antigos grimórios mágicos.

Sharon, Douglas. *Wizard of the Four Winds: A Shaman's Story*. New York: Free Press, 1978.

Fala sobre os usos dos cristais de quartzo e de pedras lapidadas entre os xamãs peruanos contemporâneos.

Silbey, Uma. *The Complete Crystal Guidebook*. New York: Bantam Books, 1987.

Um dos melhores trabalhos sobre cristais de quartzo que já foram publicados. Direto, completo, apresenta informações úteis sem apelar para "revelações místicas" ou informações "quase históricas" sobre a Atlântida, etc. Contém vários exercícios e rituais que levam o leitor a descobrir os poderes dos cristais. Leitura obrigatória!

Simpson, Jaqueline. *Folklore of Sussex*. London: B. T. Batsford, 1973.

Essa obra discute as pedras furadas.

Smith, Michael G. *Crystal Power*. St. Paul, Minn.: Liewellyn Publications, 1984.

Uma variedade de aplicações de cristais de quartzo aparece nesse interessante livro.

Stein, Diane. *The Women's Spirituality Book*. St. Paul, Minn.: Llewellyn Publications, 1987.

O capítulo sobre cristais de quartzo e outras pedras é excelente introdução à magia com pedras.

Thomson, H. A. *Legends of Gems: Strange Beliefs Which the Astrological Birthstones Have Collected Through the Ages*. Los Angeles: Graphic Press, 1937.

Interessante compilação antiga da magia com pedras tradicional, com ênfase às pedras de signo.

Thompson, C. J.S. *The Mysteries and Secrets of Magic*. New York: Olympia Press, 1972.

Esse livro contém capítulos intitulados "Magical Rings" e "Magic in Jewels", ambos repletos de excelentes informações de tempos antigos.

Toor, Frances. *A Treasury of Mexican Folkways*. New York: Crown, 1973.

Contém uma seção curta que discute os muitos usos que os xamãs mexicanos fazem dos cristais de quartzo.

Underhill, Ruth. *The Papago Indians of Arizona*, uma publicação de Branch of Education, Bureau of Indian Affairs, Department of the Interior, n.d.

Esse panfleto, provavelmente impresso nos anos 1940, descreve o uso que os xamãs papagos faziam dos cristais de quartzo.

Uyldert, Mellie. *The Magic of Precious Stones*. Wellingborough, England: Turnstone Press, 1981.

    Bela coletânea de tradições e de magia com gemas. Considerando-se que esse trabalho foi traduzido do holandês, a leitura dele é espantosamente fácil, embora não seja tão fácil de compreender.

Verrilll, A. Hyart. *Minerals, Metals and Gems*. New York: Grossett & Dunlap, 1939.

    Uma introdução não mágica ao mundo dos minerais.

Villiers, Elizabeth. *The Book of Charms*. London, 1927. Reimpressão. New York: Simon & Schuster, 1973.

    Nessa moderna edição revisada, o capítulo intitulado "Stones, Jewels and Beads" contém ótimas amostras de informações mágicas.

Walker, Barbara. *The Woman's Encyclopedia of Myths and Mysteries*. New York: Harper & Row, 1983.

    Pedras e metais relacionados às divindades e aos planetas.

Wright, Elbee. *Book of Legendary Spells*. Minneapolis, Minn.: Marlar Publishing, 1974.

    Esse livro contém uma lista em ordem alfabética das gemas e de suas propriedades mágicas.

Periódicos consultados

Archaeology
A Pagan Renaissance
Circle Network News
Lapidary Journal
National Geographic
The Los Angeles Times
The San Diego Union

Índice Remissivo

A

A'a 133
Aço 11, 176
Adivinhação com pedras 8, 66
Afogamento, proteção contra 20, 34, 89, 90, 96, 98, 100, 106, 108, 140, 159, 176, 180
Afrodite 154, 161, 179
Ágata 9, 71, 72, 88, 89, 90, 91, 200, 202, 205, 206, 208, 209, 210, 213, 217
Ágata laço azul 90, 200, 206
Ágata listrada 89, 200, 206
Ágata marrom ou bege 90
Ágata musgo 90, 200, 205
Ágata preta 90, 200, 206
Ágata preta e branca 90
Ágata verde 90, 200, 205
Ágata vermelha 91, 200, 206
Água-marinha 9, 91, 200, 202, 206, 208, 212, 214, 215, 216, 218
Akasha 12, 93, 102, 103, 105, 113, 121, 122, 135, 154, 175, 190, 194, 207, 221, 222
Alcoolismo, superar 35, 96, 188
Alegria
  veja também felicidade, paz 24, 35, 48, 90, 91, 95, 96, 100, 114, 164, 169, 202
Alume 9, 92, 201, 204, 205, 213
Alumínio 11, 176
Amarelo 7, 36, 67
Amazonita 9, 92, 209, 215
Âmbar 9, 45, 71, 73, 93, 94, 102, 123, 200, 202, 206, 207, 210, 211, 213, 217
Âmbar das bruxas 102
Ametista 9, 15, 20, 45, 71, 73, 95, 201, 204, 206, 208, 209, 210, 212, 214, 216, 218
Amianto 9, 98, 200, 203, 206, 213

Amor 8, 12, 73, 84, 117, 126, 146, 154, 163, 167, 210
Animal de estimação, proteger 20, 25, 36, 38, 43, 77, 79, 80, 89, 91, 92, 94, 103, 104, 105, 107, 108, 116, 117, 119, 125, 127, 129, 136, 141, 144, 146, 147, 153, 162, 165, 168, 169, 176, 177, 189, 195, 197
Antimônio 11, 177
Apolo 159
Aquários, pedras para 20, 24, 45, 57, 62, 66, 79, 112, 114, 191, 217
Ar 12, 98, 116, 138, 156, 175, 176, 181, 205
Áries, pedras para 20, 24, 45, 57, 62, 66, 79, 112, 114, 191, 217
Assíria 165, 186
Astarte 179
Astrae 159
Ataque de tubarão, proteção contra 20, 34, 89, 90, 96, 98, 100, 106, 108, 140, 159, 176, 180
Ataque psíquico 221
Ataques de crocodilo, prevenir 100, 108, 127, 129, 165
Austrália 109
Aventurina
　substituto para 72
Azul
　calcita
　　ágata laço
　　　quartzo 48, 67, 101, 102, 118, 137, 164. *Consulte também* pedras; *Consulte também* turmalina; *Consulte também* substituto para
Azurita 9, 99, 201, 203, 206, 208, 209, 210, 214

B

Babilônia 149, 191, 224
Baco 95
Bastões 113
Bebê, proteger
　veja também crianças 20, 25, 36, 38, 43, 77, 79, 80, 89, 91, 92, 94, 103, 104, 105, 107, 108, 116, 117, 119, 125, 127, 129, 136, 141, 144, 146, 147, 153, 162, 165, 168, 169, 176, 177, 189, 195, 197
Beleza 12, 207
Berilo
　substituto para 72
Bicho de estimação, proteger 20, 25, 36, 38, 43, 77, 79, 80, 89, 91, 92, 94, 103, 104, 105, 107, 108, 116, 117, 119, 125, 127, 129, 136, 141, 144, 146, 147, 153, 162, 165, 168, 169, 176, 177, 189, 195, 197
Branco 7, 38
Bretanha 89, 103, 112, 119
Brincos 8, 79, 145

Bronze 11, 177
Bruxas 94, 103
Buda 126, 158, 168

C

Calcedônia 9, 101, 201, 202, 206, 211, 212, 213, 215
Calcita
  azul
    laranja
      rosa 16, 30, 31, 33, 36, 37, 45, 67, 71, 73, 90, 91, 99, 101, 102, 113, 120, 131, 146, 160, 165, 167, 200, 201, 203, 206, 207, 212, 214, 216. *Consulte também* verde
Câncer, pedras para 20, 24, 45, 57, 62, 66, 79, 112, 114, 191, 217
Capricórnio, pedras para 20, 24, 45, 57, 62, 66, 79, 112, 114, 191, 217
Carregando as pedras 7, 27
Carro, proteger 20, 25, 36, 38, 43, 77, 79, 80, 89, 91, 92, 94, 103, 104, 105, 107, 108, 116, 117, 119, 125, 127, 129, 136, 141, 144, 146, 147, 153, 162, 165, 168, 169, 176, 177, 189, 195, 197
Carvão 9, 102, 201, 204, 205, 207, 209, 210, 211, 212, 213, 215, 218
Carvão fossilizado
  substituto para 72
Celestita 9, 104, 201, 204, 206, 209, 210
Ceres 117
Chefe, o (tarô de pedras) 4, 5, 6, 15, 16, 17, 19, 20, 21, 23, 24, 25, 26, 27, 28, 29, 30, 31, 33, 34, 35, 36, 37, 38, 41, 42, 43, 45, 46, 47, 48, 49, 50, 53, 54, 55, 57, 58, 59, 60, 61, 62, 63, 64, 65, 66, 67, 68, 69, 70, 72, 74, 75, 76, 77, 78, 79, 80, 81, 82, 83, 84, 85, 87, 88, 89, 90, 91, 92, 93, 94, 95, 96, 97, 98, 99, 100, 101, 102, 103, 104, 105, 106, 107, 108, 109, 110, 111, 112, 113, 114, 115, 116, 117, 118, 120, 121, 122, 123, 124, 125, 126, 127, 128, 129, 130, 131, 132, 133, 134, 135, 136, 137, 138, 139, 140, 141, 142, 143, 144, 145, 146, 147, 148, 149, 150, 151, 152, 153, 154, 155, 156, 157, 158, 159, 160, 161, 162, 163, 164, 165, 166, 167, 168, 169, 170, 171, 173, 174, 175, 176, 177, 178, 179, 180, 181, 182, 183, 184, 185, 186, 187, 188, 189, 190, 191, 192, 193, 194, 195, 196, 197, 199, 200, 202, 205, 207, 217, 220, 221, 222, 223, 224, 225, 229, 230, 231, 232, 233, 234, 235, 236
China 126, 158, 182, 183, 190, 195, 196
Chumbo 11, 178
Chuva, trazer 30, 42, 43, 88, 100, 103, 113, 126, 128, 145, 149, 164, 168, 189, 193, 195, 217
Cibele 102, 103
Cobre 11, 117, 179
Comprando pedras 8, 46
Copal 109

Coragem 12, 163, 208
Coral 9, 105, 106, 107, 185, 201, 203, 206, 207, 210, 212, 213, 215
Cornalina 9, 45, 71, 73, 107, 200, 202, 206, 208, 209, 210, 212, 213, 214, 215, 216, 217
Criatividade 171
Crisocola 9, 108, 201, 203, 206, 210, 212, 215, 216
Crisolita 140, 153
Crisoprásio 9, 108, 201, 205, 209, 210, 211, 212, 213, 215, 218
Cristal de quartzo
  azul
  de Herkimer 71, 73, 113, 200, 216
Cupido 144
Cura 12, 105, 124, 125, 128, 130, 165, 177, 210
Cuspe de vulcão 125

D

Danburita 11, 171
Dedo anular, poderes do 124, 185
Dee, John 232
de Herkimer
  negro 71, 73, 138
Deusa, a (tarô de pedras) 4, 5, 6, 12, 15, 16, 17, 19, 20, 21, 23, 24, 25, 26, 27, 28, 29, 30, 31, 32, 33, 34, 35, 36, 37, 38, 39, 41, 42, 43, 44, 45, 46, 47, 48, 49, 50, 51, 53, 54, 55, 57, 58, 59, 60, 61, 62, 63, 64, 65, 66, 67, 68, 69, 70, 72, 74, 75, 76, 77, 78, 79, 80, 81, 82, 83, 84, 85, 87, 88, 89, 90, 91, 92, 93, 94, 95, 96, 97, 98, 99, 100, 101, 102, 103, 104, 105, 106, 107, 108, 109, 110, 111, 112, 113, 114, 115, 116, 117, 118, 119, 120, 121, 122, 123, 124, 125, 126, 127, 128, 129, 130, 131, 132, 133, 134, 135, 136, 137, 138, 139, 140, 141, 142, 143, 144, 145, 146, 147, 148, 149, 150, 151, 152, 153, 154, 155, 156, 157, 158, 159, 160, 161, 162, 163, 164, 165, 166, 167, 168, 169, 170, 171, 173, 174, 175, 176, 177, 178, 179, 180, 181, 182, 183, 184, 185, 186, 187, 188, 189, 190, 191, 192, 193, 194, 195, 196, 197, 200, 204, 205, 207, 208, 209, 219, 220, 221, 222, 223, 224, 227, 229, 230, 231, 232, 233, 234, 235, 236
Deusa Mãe 42, 93, 105, 190
Deus, o (tarô de pedras) 4, 5, 6, 15, 16, 17, 19, 20, 21, 23, 24, 25, 26, 27, 28, 29, 30, 31, 33, 34, 35, 36, 37, 38, 41, 42, 43, 45, 46, 47, 48, 49, 50, 53, 54, 55, 57, 58, 59, 60, 61, 62, 63, 64, 65, 66, 67, 68, 69, 70, 72, 74, 75, 76, 77, 78, 79, 80, 81, 82, 83, 84, 85, 87, 88, 89, 90, 91, 92, 93, 94, 95, 96, 97, 98, 99, 100, 101, 102, 103, 104, 105, 106, 107, 108, 109, 110, 111, 112, 113, 114, 115, 116, 117, 118, 120, 121, 122, 123, 124, 125, 126, 127, 128, 129, 130, 131, 132, 133, 134, 135, 136, 137, 138, 139, 140, 141, 142, 143, 144, 145, 146, 147, 148, 149, 150, 151, 152, 153, 154, 155, 156, 157, 158, 159, 160,

Índice Remissivo 241

 161, 162, 163, 164, 165, 166, 167, 168, 169, 170, 171, 173, 174, 175, 176, 177, 178, 179, 180, 181, 182, 183, 184, 185, 186, 187, 188, 189, 190, 191, 192, 193, 194, 195, 196, 197, 199, 200, 202, 205, 207, 217, 220, 221, 222, 223, 224, 225, 229, 230, 231, 232, 233, 234, 235, 236
Diamante 9, 71, 73, 114, 142, 200, 202, 206, 208, 210, 212, 213, 214, 215, 216, 217
Diamante de Herkimer 216
Diana 95, 146, 154, 195
Digestão, promover 20, 30, 33, 34, 35, 36, 37, 38, 42, 91, 104, 107, 114, 116, 124, 128, 129, 131, 134, 144, 154, 156, 157, 160, 163, 164, 167, 168, 169, 170, 193, 202, 205, 223
Dinheiro
 magia para 16, 20, 26, 33, 36, 43, 67, 99, 115, 117, 118, 122, 124, 161, 178, 180, 197, 222
Dionísio 95
Dor de cabeça, aliviar 38, 90, 92, 95, 97, 100, 104, 107, 112, 115, 118, 125, 128, 131, 134, 154, 166, 178, 180, 193
Dor de dente, aliviar 38, 90, 92, 95, 97, 100, 104, 107, 112, 115, 118, 125, 128, 131, 134, 154, 166, 178, 180, 193
Dor, remover 37, 110, 112

E

Efeito olho de gato 222
Egito 92, 107, 149, 155
Electrum 11, 175, 181, 222
Elementos, os (tarô de pedras) 4, 5, 6, 15, 16, 20, 21, 23, 24, 26, 27, 28, 29, 30, 31, 33, 34, 35, 36, 39, 41, 42, 43, 46, 47, 48, 49, 51, 53, 57, 58, 59, 60, 61, 62, 63, 64, 65, 66, 69, 70, 74, 75, 76, 77, 78, 79, 81, 83, 84, 85, 87, 88, 89, 90, 91, 93, 95, 96, 97, 98, 99, 100, 103, 105, 106, 107, 108, 109, 110, 111, 113, 114, 115, 116, 117, 118, 119, 120, 121, 122, 123, 124, 125, 126, 127, 128, 129, 130, 131, 132, 133, 134, 135, 138, 139, 140, 141, 142, 143, 144, 145, 148, 149, 150, 152, 153, 154, 155, 156, 157, 158, 159, 160, 161, 163, 164, 165, 168, 169, 170, 171, 173, 174, 175, 176, 177, 180, 182, 183, 184, 185, 186, 187, 188, 189, 190, 191, 192, 193, 195, 196, 197, 199, 200, 202, 204, 217, 219, 220, 221, 222, 223, 224, 225, 227, 228, 230, 231, 232, 233, 234, 235
Eloquência 12, 209
Emoções, em magia 20, 26, 27, 33, 43, 45, 55, 57, 58, 60, 63, 77, 81, 88, 91, 94, 95, 98, 99, 105, 106, 109, 112, 115, 116, 117, 118, 119, 120, 122, 124, 128, 130, 135, 148, 149, 150, 151, 154, 155, 158, 159, 160, 161, 166, 167, 169, 171, 174, 176, 178, 179, 181, 182, 187, 189, 190, 191, 197, 224
Enamorados, os (tarô de pedras) 4, 5, 6, 15, 16, 20, 21, 23, 24, 26, 27, 28, 29, 30, 31, 33, 34, 35, 36, 39, 41, 42, 43, 46, 47, 48, 49, 51, 53, 57, 58, 59, 60,

61, 62, 63, 64, 65, 66, 69, 70, 74, 75, 76, 77, 78, 79, 81, 83, 84, 85, 87, 88, 89, 90, 91, 93, 95, 96, 97, 98, 99, 100, 103, 105, 106, 107, 108, 109, 110, 111, 113, 114, 115, 116, 117, 118, 119, 120, 121, 122, 123, 124, 125, 126, 127, 128, 129, 130, 131, 132, 133, 134, 135, 138, 139, 140, 141, 142, 143, 144, 145, 148, 149, 150, 152, 153, 154, 155, 156, 157, 158, 159, 160, 161, 163, 164, 165, 168, 169, 170, 171, 173, 174, 175, 176, 177, 180, 182, 183, 184, 185, 186, 187, 188, 189, 190, 191, 192, 193, 195, 196, 197, 199, 200, 202, 204, 217, 219, 220, 221, 222, 223, 224, 225, 227, 228, 230, 231, 232, 233, 234, 235

Energia
  física
    mágica
      pedra 12, 13, 30, 39, 47, 104, 115, 118, 124, 129, 131, 138, 150, 151, 156, 157, 183, 201, 203, 206, 213

Energia projetiva 72, 222
Energia receptiva 72, 223
Energia sexual 13, 214
Enjoo de viagem, prevenir 100, 108, 127, 129, 165
Envenenamento, evitar 35, 37, 88, 89, 95, 96, 100, 101, 104, 105, 108, 109, 118, 123, 124, 127, 129, 136, 149, 150, 152, 174, 176, 179, 180, 183, 195
Enxofre 9, 116, 202, 206, 210, 213
Eremita (tarô de pedras) 71
Ervas, colheita 74, 88, 105, 150, 158, 192
Escócia 119, 182, 183, 184
Escorpião, pedras para 20, 24, 45, 57, 62, 66, 79, 112, 114, 191, 217
Esculápio 88
Esfena 9, 116, 200, 205, 211, 215
esferas 63, 100, 134
Esferas 42, 63, 100, 139
Esmeralda 9, 71, 72, 117, 195, 201, 203, 205, 210, 211, 212, 213, 214, 215, 216, 217
Espiral, a (tarô de pedras) 4, 5, 6, 12, 15, 16, 17, 19, 20, 21, 23, 24, 25, 26, 27, 28, 29, 30, 31, 32, 33, 34, 35, 36, 37, 38, 39, 41, 42, 43, 44, 45, 46, 47, 48, 49, 50, 51, 53, 54, 55, 57, 58, 59, 60, 61, 62, 63, 64, 65, 66, 67, 68, 69, 70, 72, 74, 75, 76, 77, 78, 79, 80, 81, 82, 83, 84, 85, 87, 88, 89, 90, 91, 92, 93, 94, 95, 96, 97, 98, 99, 100, 101, 102, 103, 104, 105, 106, 107, 108, 109, 110, 111, 112, 113, 114, 115, 116, 117, 118, 119, 120, 121, 122, 123, 124, 125, 126, 127, 128, 129, 130, 131, 132, 133, 134, 135, 136, 137, 138, 139, 140, 141, 142, 143, 144, 145, 146, 147, 148, 149, 150, 151, 152, 153, 154, 155, 156, 157, 158, 159, 160, 161, 162, 163, 164, 165, 166, 167, 168, 169, 170, 171, 173, 174, 175, 176, 177, 178, 179, 180, 181, 182, 183, 184, 185, 186, 187, 188, 189, 190, 191, 192, 193, 194, 195, 196, 197, 200, 204, 205, 207, 208, 209, 219, 220, 221, 222, 223, 224, 227, 229, 230, 231, 232, 233, 234, 235, 236

Índice Remissivo

Espiritualidade 13, 72, 101, 114, 215
Esponja (fósseis) 121
Estalagmites 9, 118
Estanho 11, 181, 182
Estaurolita 9, 45, 71, 73, 119, 210, 212, 213, 216
Estrela, a (tarô de pedras) 4, 5, 6, 12, 15, 16, 17, 19, 20, 21, 23, 24, 25, 26, 27,
    28, 29, 30, 31, 32, 33, 34, 35, 36, 37, 38, 39, 41, 42, 43, 44, 45, 46, 47, 48,
    49, 50, 51, 53, 54, 55, 57, 58, 59, 60, 61, 62, 63, 64, 65, 66, 67, 68, 69, 70,
    72, 74, 75, 76, 77, 78, 79, 80, 81, 82, 83, 84, 85, 87, 88, 89, 90, 91, 92, 93,
    94, 95, 96, 97, 98, 99, 100, 101, 102, 103, 104, 105, 106, 107, 108, 109,
    110, 111, 112, 113, 114, 115, 116, 117, 118, 119, 120, 121, 122, 123, 124,
    125, 126, 127, 128, 129, 130, 131, 132, 133, 134, 135, 136, 137, 138, 139,
    140, 141, 142, 143, 144, 145, 146, 147, 148, 149, 150, 151, 152, 153, 154,
    155, 156, 157, 158, 159, 160, 161, 162, 163, 164, 165, 166, 167, 168, 169,
    170, 171, 173, 174, 175, 176, 177, 178, 179, 180, 181, 182, 183, 184, 185,
    186, 187, 188, 189, 190, 191, 192, 193, 194, 195, 196, 197, 200, 204, 205,
    207, 208, 209, 219, 220, 221, 222, 223, 224, 227, 229, 230, 231, 232, 233,
    234, 235, 236
Estrelas 8, 41

F

Fadas, proteção da cruz das fadas (estaurolita)
  cruzes das fadas (pedra de cruz)
    lágrimas de fadas
      tiros de fadas 152, 153
Falatório, evitar 35, 37, 88, 89, 95, 96, 100, 101, 104, 105, 108, 109, 118, 123,
    124, 127, 129, 136, 149, 150, 152, 174, 176, 179, 180, 183, 195
Fayruz 168
Febre, baixar 37, 89, 112
Felicidade 12, 108, 209
Ferimentos, curar 33, 35, 43, 80, 89, 91, 92, 95, 107, 112, 125, 126, 128, 146,
    149, 184, 186, 187, 188
Ferradura, talismã 90, 99, 128, 136, 139, 149, 150, 168, 183, 189, 190, 221
Ferro
  pirita 39, 131, 163, 165, 175, 192, 194, 195
Fluorita 9, 120, 200, 211
Fogo 12, 93, 98, 105, 107, 109, 114, 116, 118, 124, 125, 130, 132, 138, 140,
    142, 145, 148, 149, 150, 157, 158, 163, 164, 166, 170, 175, 176, 177, 182,
    191, 194, 195, 206
Força (tarô de pedras) 13, 71, 73, 171, 185, 192, 213
Fósseis 9, 121, 201, 207, 210, 213, 218
Freya 154, 155
Frígia 190
fumê 114, 201

G

Gêmeos, pedras para 20, 24, 45, 57, 62, 66, 79, 112, 114, 191, 217
Geodes 9, 123, 124, 201, 207, 208, 211
Granada 10, 45, 124, 200, 203, 206, 210, 213, 216, 217
Grande Mãe, a 4, 5, 6, 12, 15, 16, 17, 19, 20, 21, 23, 24, 25, 26, 27, 28, 29, 30,
    31, 32, 33, 34, 35, 36, 37, 38, 39, 41, 42, 43, 44, 45, 46, 47, 48, 49, 50, 51,
    53, 54, 55, 57, 58, 59, 60, 61, 62, 63, 64, 65, 66, 67, 68, 69, 70, 72, 74, 75,
    76, 77, 78, 79, 80, 81, 82, 83, 84, 85, 87, 88, 89, 90, 91, 92, 93, 94, 95, 96,
    97, 98, 99, 100, 101, 102, 103, 104, 105, 106, 107, 108, 109, 110, 111,
    112, 113, 114, 115, 116, 117, 118, 119, 120, 121, 122, 123, 124, 125, 126,
    127, 128, 129, 130, 131, 132, 133, 134, 135, 136, 137, 138, 139, 140, 141,
    142, 143, 144, 145, 146, 147, 148, 149, 150, 151, 152, 153, 154, 155, 156,
    157, 158, 159, 160, 161, 162, 163, 164, 165, 166, 167, 168, 169, 170, 171,
    173, 174, 175, 176, 177, 178, 179, 180, 181, 182, 183, 184, 185, 186, 187,
    188, 189, 190, 191, 192, 193, 194, 195, 196, 197, 200, 204, 205, 207, 208,
    209, 219, 220, 221, 222, 223, 224, 227, 229, 230, 231, 232, 233, 234, 235,
    236
Grécia 78, 107, 178, 182, 184
Gug 128

H

Hathor 168
Havaí 105, 106, 132, 133, 141, 162, 228
Heaiu 133
Heliotrópio 149
Hematita (pedra-de-sangue) 10, 125, 200, 204, 206, 208, 209, 210, 218
Heraclea 185
Hércules 142, 164, 185
Hopi 126

I

Ímã 11, 72, 73, 182, 185, 192
Imperatriz, a (tarô de pedras) 4, 5, 6, 12, 15, 16, 17, 19, 20, 21, 23, 24, 25, 26,
    27, 28, 29, 30, 31, 32, 33, 34, 35, 36, 37, 38, 39, 41, 42, 43, 44, 45, 46, 47,
    48, 49, 50, 51, 53, 54, 55, 57, 58, 59, 60, 61, 62, 63, 64, 65, 66, 67, 68, 69,
    70, 72, 74, 75, 76, 77, 78, 79, 80, 81, 82, 83, 84, 85, 87, 88, 89, 90, 91, 92,
    93, 94, 95, 96, 97, 98, 99, 100, 101, 102, 103, 104, 105, 106, 107, 108,
    109, 110, 111, 112, 113, 114, 115, 116, 117, 118, 119, 120, 121, 122, 123,
    124, 125, 126, 127, 128, 129, 130, 131, 132, 133, 134, 135, 136, 137, 138,
    139, 140, 141, 142, 143, 144, 145, 146, 147, 148, 149, 150, 151, 152, 153,
    154, 155, 156, 157, 158, 159, 160, 161, 162, 163, 164, 165, 166, 167, 168,
    169, 170, 171, 173, 174, 175, 176, 177, 178, 179, 180, 181, 182, 183, 184,

Índice Remissivo

    185, 186, 187, 188, 189, 190, 191, 192, 193, 194, 195, 196, 197, 200, 204, 205, 207, 208, 209, 219, 220, 221, 222, 223, 224, 227, 229, 230, 231, 232, 233, 234, 235, 236
Índia 115, 118, 132, 137, 146, 150, 155, 158, 178, 182, 186, 193
Índice 7, 13
Inglaterra 122, 152, 229
Iniciação (tarô de pedras) 71, 73
Inyan-sha 148
Íris (cristal de quartzo) 7, 33
Irlanda 99, 182, 183
Ishtar 179
Ísis 105, 117, 130, 146, 154, 155, 173, 195
Itália 90, 101, 105, 106, 125, 179

J

Jade 10, 126, 201, 203, 207, 209, 210, 212, 213, 215, 216, 217
Jardinagem 12, 209
Jaspe
  marrom
    mosqueado 90, 121, 128, 129, 163, 164, 170, 200, 201, 204, 205, 206, 208, 209, 212
Jaspe mosqueado 129, 200, 202
Jogos de azar 12, 209
Justiça (tarô de pedras) 71, 73

K

Kauai 140
Kianita 11, 171
Ki (Cordyline terminalis) 161
Kinnickkinnick (casca do salgueiro vermelho) 148
Krishna 158
Kukailimoku 132
Kunzita 10, 129, 201, 203, 204, 205, 209, 212, 216, 218

L

Ladrões, proteção contra 20, 34, 89, 90, 96, 98, 100, 106, 108, 140, 159, 176, 180
Lágrima apache 10, 130, 200, 204, 206, 211, 213, 218
Lakshmi 154
Lápis-lazúli 10, 31, 45, 130, 131, 132, 201, 203, 207, 208, 210, 213, 214, 216, 217, 218
Lapis linguis 99

Lava 10, 132, 200, 203, 206, 208, 213
Lavanda 102
Leão, pedras para 20, 24, 45, 57, 62, 66, 79, 112, 114, 191, 217
Leland, Charles Godfrey 179, 232
Lepidolita 10, 133, 204, 210, 211, 212, 213, 215
Libra, pedras para 20, 24, 45, 57, 62, 66, 79, 112, 114, 191, 217
Ligação com a terra 12, 209
limpar
  rosa 28, 64, 156, 161
livrar-se de Culpa 85
Longevidade 12, 135, 210
Louco, o (tarô de pedra) 4, 5, 6, 15, 16, 17, 19, 20, 21, 23, 24, 25, 26, 27, 28, 29, 30, 31, 33, 34, 35, 36, 37, 38, 41, 42, 43, 45, 46, 47, 48, 49, 50, 53, 54, 55, 57, 58, 59, 60, 61, 62, 63, 64, 65, 66, 67, 68, 69, 70, 72, 74, 75, 76, 77, 78, 79, 80, 81, 82, 83, 84, 85, 87, 88, 89, 90, 91, 92, 93, 94, 95, 96, 97, 98, 99, 100, 101, 102, 103, 104, 105, 106, 107, 108, 109, 110, 111, 112, 113, 114, 115, 116, 117, 118, 120, 121, 122, 123, 124, 125, 126, 127, 128, 129, 130, 131, 132, 133, 134, 135, 136, 137, 138, 139, 140, 141, 142, 143, 144, 145, 146, 147, 148, 149, 150, 151, 152, 153, 154, 155, 156, 157, 158, 159, 160, 161, 162, 163, 164, 165, 166, 167, 168, 169, 170, 171, 173, 174, 175, 176, 177, 178, 179, 180, 181, 182, 183, 184, 185, 186, 187, 188, 189, 190, 191, 192, 193, 194, 195, 196, 197, 199, 200, 202, 205, 207, 217, 220, 221, 222, 223, 224, 225, 229, 230, 231, 232, 233, 234, 235, 236
Loucura (tarô de pedra) 71, 73
Louro (laurus nobilis) 144
Lua, a (tarô de pedras) 4, 5, 6, 12, 15, 16, 17, 19, 20, 21, 23, 24, 25, 26, 27, 28, 29, 30, 31, 32, 33, 34, 35, 36, 37, 38, 39, 41, 42, 43, 44, 45, 46, 47, 48, 49, 50, 51, 53, 54, 55, 57, 58, 59, 60, 61, 62, 63, 64, 65, 66, 67, 68, 69, 70, 72, 74, 75, 76, 77, 78, 79, 80, 81, 82, 83, 84, 85, 87, 88, 89, 90, 91, 92, 93, 94, 95, 96, 97, 98, 99, 100, 101, 102, 103, 104, 105, 106, 107, 108, 109, 110, 111, 112, 113, 114, 115, 116, 117, 118, 119, 120, 121, 122, 123, 124, 125, 126, 127, 128, 129, 130, 131, 132, 133, 134, 135, 136, 137, 138, 139, 140, 141, 142, 143, 144, 145, 146, 147, 148, 149, 150, 151, 152, 153, 154, 155, 156, 157, 158, 159, 160, 161, 162, 163, 164, 165, 166, 167, 168, 169, 170, 171, 173, 174, 175, 176, 177, 178, 179, 180, 181, 182, 183, 184, 185, 186, 187, 188, 189, 190, 191, 192, 193, 194, 195, 196, 197, 200, 204, 205, 207, 208, 209, 219, 220, 221, 222, 223, 224, 227, 229, 230, 231, 232, 233, 234, 235, 236
Lua cheia 64
Lumahai 140
Luna 195

M

Maat 126
Madeira petrificada 10, 135, 201, 207, 210, 213
Madrepérola 10, 135, 201, 202, 204, 207, 212, 213, 216
Magia defensiva 12, 208
Magia elemental 152
Magnetis 185
Magnetita 185
Malaku 136
Malaquita 10, 136, 201, 205, 208, 209, 210, 211, 212, 213
Mão projetiva 223
Mão receptiva 223
Maori 126
Mara 99
Marduk 78
Margan 154
Mármore 10, 137, 201, 213, 215
Marrocos 122
Meditação 12, 123, 171, 211, 223
Medo, evitar 35, 37, 88, 89, 95, 96, 100, 101, 104, 105, 108, 109, 118, 123, 124, 127, 129, 136, 149, 150, 152, 174, 176, 179, 180, 183, 195
Mente psíquica 223
Mercúrio 11, 31, 36, 88, 98, 116, 129, 138, 156, 175, 176, 189, 202
Meteorito 11, 72, 73, 190
México 63, 111, 119, 139, 168, 180, 186, 191, 192
Mica 10, 138, 200, 202, 205, 209, 213
Mimosa (Acacia dealbata) 179
Minnesota 149
Mistérios Eleusinos 109
Morcego
  imagens, figura de 101, 108, 136, 150, 186
Mudança (tarô de pedras) 71, 73
Mulheres, pedras para representar 79

N

Neamhnuid 154
Netuno (deus) 12, 31, 37, 95, 99, 104, 133, 135, 154, 168, 204
Nicomar 137
Nova Guiné 109
Nuit 130

O

Objetos perdidos, achar 60, 64, 130, 134
Obsidiana 10, 138, 200, 204, 206, 209, 212, 213, 215
Oceano 92, 151
Odin 151
Olho de gato 10, 139, 200, 203, 205, 207, 209, 210, 212, 213, 216
Olho de tigre 10, 45, 72, 74, 140, 166, 200, 202, 206, 208, 209, 211, 212, 213, 216, 222
Olho gordo, evitar 35, 37, 88, 89, 95, 96, 100, 101, 104, 105, 108, 109, 118, 123, 124, 127, 129, 136, 149, 150, 152, 174, 176, 179, 180, 183, 195
Olivina 10, 69, 140, 201, 203, 205, 211, 212, 213, 216
Ônix 10, 142, 200, 203, 204, 206, 208, 213, 218
Opala 10, 72, 74, 144, 200, 201, 207, 211, 212
Opalas 39, 145
Ouro de tolo 195

P

Pacífico Sul 156
Papisa, a (tarô das pedras) 4, 5, 6, 12, 15, 16, 17, 19, 20, 21, 23, 24, 25, 26, 27, 28, 29, 30, 31, 32, 33, 34, 35, 36, 37, 38, 39, 41, 42, 43, 44, 45, 46, 47, 48, 49, 50, 51, 53, 54, 55, 57, 58, 59, 60, 61, 62, 63, 64, 65, 66, 67, 68, 69, 70, 72, 74, 75, 76, 77, 78, 79, 80, 81, 82, 83, 84, 85, 87, 88, 89, 90, 91, 92, 93, 94, 95, 96, 97, 98, 99, 100, 101, 102, 103, 104, 105, 106, 107, 108, 109, 110, 111, 112, 113, 114, 115, 116, 117, 118, 119, 120, 121, 122, 123, 124, 125, 126, 127, 128, 129, 130, 131, 132, 133, 134, 135, 136, 137, 138, 139, 140, 141, 142, 143, 144, 145, 146, 147, 148, 149, 150, 151, 152, 153, 154, 155, 156, 157, 158, 159, 160, 161, 162, 163, 164, 165, 166, 167, 168, 169, 170, 171, 173, 174, 175, 176, 177, 178, 179, 180, 181, 182, 183, 184, 185, 186, 187, 188, 189, 190, 191, 192, 193, 194, 195, 196, 197, 200, 204, 205, 207, 208, 209, 219, 220, 221, 222, 223, 224, 227, 229, 230, 231, 232, 233, 234, 235, 236
Parto, ajudar 26, 27, 31, 34, 62, 64, 67, 75, 81, 84, 112, 130, 143, 148, 149, 152, 156, 188
Paz 12, 101, 108, 134, 157, 212
Pederneira 10, 145, 200, 203, 206, 209, 210, 214
Pedra da lua 10, 72, 73, 146, 150, 201, 202, 207, 208, 209, 211, 214, 216, 217
Pedra da paz 133
Pedra de cachimbo 10, 148, 200, 202, 203, 206
Pedra de cruz (estaurolita) 10, 152, 200, 201, 211, 216
Pedra-de-sangue 10, 149, 200, 203, 206, 208, 210, 212, 213, 217
Pedra do sol 10, 150, 200, 202, 206, 210, 213, 214, 216
Pedra do trovão 145
Pedra-pomes 10, 156, 200, 202, 205, 208, 214

Pedras Boji 11, 194
pedras em forma de 42
Pedras em forma de coração 43
Pedras em forma de diamante 43
Pedras furadas 10, 43, 151, 201, 207, 210, 212, 214
Pedras, harmonizar-se com 28
Pedras multicoloridas 7, 39
Pedras receptivas, cores de 120
Pedras redondas 42
Pedras triangulares 43
Peixes, pedras para 20, 24, 45, 57, 62, 66, 79, 112, 114, 191, 217
Pele 132, 133
Pêndulo 223
Pentagrama 224
Peridoto 10, 45, 71, 72, 153, 201, 203, 205, 210, 212, 214, 216
Pérola 10, 154, 201, 202, 207, 211, 212, 214, 216
Pérsia 90
Peru 41
Pesadelos, evitar 35, 37, 88, 89, 95, 96, 100, 101, 104, 105, 108, 109, 118, 123, 124, 127, 129, 136, 149, 150, 152, 174, 176, 179, 180, 183, 195
Piedra de hijada 126
Pirita 11, 195
Platina 114
Plutão 12, 118, 168, 204
Polaris 185
Polução noturna, evitar 35, 37, 88, 89, 95, 96, 100, 101, 104, 105, 108, 109, 118, 123, 124, 127, 129, 136, 149, 150, 152, 174, 176, 179, 180, 183, 195
Porta 151, 185
Poseidon 99, 154
Prata 11, 15, 105, 109, 135, 145, 146, 154, 164, 173, 195, 196
Preto
  ágata
    âmbar
      e branco, ágata 48, 67, 88, 89, 90, 91, 113. *Consulte também* diamante; *Consulte também* opala
Projeção astral 12, 144, 207, 224
Proteção
  à noite
    durante o voo
      magias para 8, 38, 59, 60, 64, 82, 91, 105, 115, 123, 125, 155, 184. *Consulte também* na água; *Consulte também* para nadar; *Consulte também* para viajar
Psiquismo 13, 73, 91, 99, 159, 165, 214, 224
Purificação 13, 161, 214
Púrpura 67

Q

Quartzo fumê 114
Quartzo rosa 20, 71, 73, 114
Quartzo rutilado 114
Quartzo turmalinado 114, 168, 204, 218

R

Rá 166
Raios, proteção contra 20, 34, 89, 90, 96, 98, 100, 106, 108, 140, 159, 176, 180
Reciclar 177
Reconciliação 13, 164, 214
Relaxamento 129
Renascimento (tarô de pedras) 74, 94
Riqueza 139, 158
Rodocrosita 10, 157, 200, 203, 206, 211, 212, 213
Rodonita 10, 157, 200, 203, 212
Roma 78, 88, 91, 107, 115, 161, 164, 233
Rosa (cor) 7, 35, 67, 178
Rubi, sonhar com 158
rutilado 114, 200

S

Sabedoria 13, 73, 215
Sacerdotisa, a (tarô de pedras) 4, 5, 6, 12, 15, 16, 17, 19, 20, 21, 23, 24, 25, 26,
    27, 28, 29, 30, 31, 32, 33, 34, 35, 36, 37, 38, 39, 41, 42, 43, 44, 45, 46, 47,
    48, 49, 50, 51, 53, 54, 55, 57, 58, 59, 60, 61, 62, 63, 64, 65, 66, 67, 68, 69,
    70, 72, 74, 75, 76, 77, 78, 79, 80, 81, 82, 83, 84, 85, 87, 88, 89, 90, 91, 92,
    93, 94, 95, 96, 97, 98, 99, 100, 101, 102, 103, 104, 105, 106, 107, 108,
    109, 110, 111, 112, 113, 114, 115, 116, 117, 118, 119, 120, 121, 122, 123,
    124, 125, 126, 127, 128, 129, 130, 131, 132, 133, 134, 135, 136, 137, 138,
    139, 140, 141, 142, 143, 144, 145, 146, 147, 148, 149, 150, 151, 152, 153,
    154, 155, 156, 157, 158, 159, 160, 161, 162, 163, 164, 165, 166, 167, 168,
    169, 170, 171, 173, 174, 175, 176, 177, 178, 179, 180, 181, 182, 183, 184,
    185, 186, 187, 188, 189, 190, 191, 192, 193, 194, 195, 196, 197, 200, 204,
    205, 207, 208, 209, 219, 220, 221, 222, 223, 224, 227, 229, 230, 231, 232,
    233, 234, 235, 236
Safira 10, 71, 73, 159, 201, 202, 207, 208, 210, 211, 212, 216, 217
Sagitário, pedras para 20, 24, 45, 57, 62, 66, 79, 112, 114, 191, 217
Sal 10, 161, 201, 204, 205, 209, 212, 214
Sândalo (santalum album) 185
Sangramento, estancar 34, 107, 149, 178
Sangue

Índice Remissivo 251

doenças
  substitutos
    ágata de 30, 38, 79, 85, 89, 92, 95, 96, 98, 100, 104, 108, 111, 112, 125, 127, 129, 131, 139, 143, 149, 160, 162, 165, 169, 180, 187. *Consulte também* pedra-de-
Sangue menstrual
  regular 19, 36, 105, 106, 165, 166
Sapo, imagem de 39, 96, 100, 108, 109, 112, 125, 126, 129, 158, 161, 163, 173
Sárdio 10, 163, 200, 203, 206, 208, 211, 214, 216
Sardônica 10, 71, 73, 164, 200, 203, 206, 208, 209, 211, 212, 214
Sede, aliviar 38, 90, 92, 95, 97, 100, 104, 107, 112, 115, 118, 125, 128, 131, 134, 154, 166, 178, 180, 193
Selene 146, 164, 182, 195
Selenita 10, 164, 201, 202, 207, 213, 214
Serpentina 10, 164, 200, 204, 206, 214
Shamash 78
Símbolos 230
Síria 89, 155
Sodalita 10, 165, 201, 203, 207, 210, 211, 212, 215, 216
Sol 11, 19, 29, 31, 35, 36, 72, 74, 78, 93, 102, 105, 107, 109, 114, 115, 116, 140, 150, 151, 153, 166, 170, 174, 175, 177, 179, 191, 192, 193, 197, 201
Sol, o (tarô de pedras) 4, 5, 6, 15, 16, 17, 19, 20, 21, 23, 24, 25, 26, 27, 28, 29, 30, 31, 33, 34, 35, 36, 37, 38, 41, 42, 43, 45, 46, 47, 48, 49, 50, 53, 54, 55, 57, 58, 59, 60, 61, 62, 63, 64, 65, 66, 67, 68, 69, 70, 72, 74, 75, 76, 77, 78, 79, 80, 81, 82, 83, 84, 85, 87, 88, 89, 90, 91, 92, 93, 94, 95, 96, 97, 98, 99, 100, 101, 102, 103, 104, 105, 106, 107, 108, 109, 110, 111, 112, 113, 114, 115, 116, 117, 118, 120, 121, 122, 123, 124, 125, 126, 127, 128, 129, 130, 131, 132, 133, 134, 135, 136, 137, 138, 139, 140, 141, 142, 143, 144, 145, 146, 147, 148, 149, 150, 151, 152, 153, 154, 155, 156, 157, 158, 159, 160, 161, 162, 163, 164, 165, 166, 167, 168, 169, 170, 171, 173, 174, 175, 176, 177, 178, 179, 180, 181, 182, 183, 184, 185, 186, 187, 188, 189, 190, 191, 192, 193, 194, 195, 196, 197, 199, 200, 202, 205, 207, 217, 220, 221, 222, 223, 224, 225, 229, 230, 231, 232, 233, 234, 235, 236
Sonhos 12, 96, 209
Sono 13, 214
Sorte
  magia para
    pedra 16, 20, 26, 33, 36, 43, 67, 99, 115, 117, 118, 122, 124, 161, 178, 180, 197, 222
Sucesso 12, 13, 208, 215
Sucesso nos negócios 12, 208
Sugilita 11, 165, 201, 204, 207, 210, 215, 216, 218
Suméria 130, 131

T

Temperança, a (tarô de pedras) 4, 5, 6, 12, 15, 16, 17, 19, 20, 21, 23, 24, 25, 26, 27, 28, 29, 30, 31, 32, 33, 34, 35, 36, 37, 38, 39, 41, 42, 43, 44, 45, 46, 47, 48, 49, 50, 51, 53, 54, 55, 57, 58, 59, 60, 61, 62, 63, 64, 65, 66, 67, 68, 69, 70, 72, 74, 75, 76, 77, 78, 79, 80, 81, 82, 83, 84, 85, 87, 88, 89, 90, 91, 92, 93, 94, 95, 96, 97, 98, 99, 100, 101, 102, 103, 104, 105, 106, 107, 108, 109, 110, 111, 112, 113, 114, 115, 116, 117, 118, 119, 120, 121, 122, 123, 124, 125, 126, 127, 128, 129, 130, 131, 132, 133, 134, 135, 136, 137, 138, 139, 140, 141, 142, 143, 144, 145, 146, 147, 148, 149, 150, 151, 152, 153, 154, 155, 156, 157, 158, 159, 160, 161, 162, 163, 164, 165, 166, 167, 168, 169, 170, 171, 173, 174, 175, 176, 177, 178, 179, 180, 181, 182, 183, 184, 185, 186, 187, 188, 189, 190, 191, 192, 193, 194, 195, 196, 197, 200, 204, 205, 207, 208, 209, 219, 220, 221, 222, 223, 224, 227, 229, 230, 231, 232, 233, 234, 235, 236

Tempestades, proteção contra 20, 34, 89, 90, 96, 98, 100, 106, 108, 140, 159, 176, 180

Terra 5, 12, 20, 31, 38, 51, 72, 92, 93, 102, 108, 113, 117, 118, 119, 124, 126, 129, 130, 136, 139, 140, 153, 161, 168, 175, 178, 191, 205, 222

Tezcatlipoca 138

Thyites 168

Tiamat 99

Titanita 116

Topázio 11, 71, 73, 166, 200, 202, 206, 208, 210, 211, 212, 214, 215, 216, 217

Touro, pedras para 20, 24, 45, 57, 62, 66, 79, 112, 114, 191, 217

Transparente, (branca) zircônia 170, 191, 216

Três necessidades, as 5, 6, 7, 8, 15, 16, 20, 21, 23, 24, 25, 26, 27, 28, 29, 30, 31, 32, 33, 34, 35, 36, 37, 38, 39, 41, 42, 43, 44, 45, 46, 47, 48, 49, 50, 53, 54, 57, 58, 59, 60, 61, 62, 63, 64, 65, 66, 69, 70, 74, 75, 77, 78, 79, 80, 81, 82, 83, 84, 85, 87, 89, 93, 94, 96, 97, 99, 100, 101, 102, 103, 105, 106, 107, 108, 109, 110, 111, 112, 113, 114, 115, 116, 117, 118, 119, 120, 121, 122, 124, 125, 126, 127, 128, 130, 131, 132, 133, 134, 135, 136, 139, 140, 141, 142, 143, 144, 145, 146, 147, 148, 149, 150, 151, 152, 153, 154, 155, 156, 157, 159, 160, 161, 162, 163, 164, 165, 166, 168, 169, 170, 171, 174, 175, 177, 178, 179, 180, 181, 182, 183, 184, 185, 187, 188, 189, 191, 192, 193, 194, 195, 196, 199, 204, 207, 215, 217, 219, 220, 224, 227, 228, 230, 232, 235

Turmalina
  azul
    substituto para
      melancia 16, 30, 31, 33, 36, 37, 45, 67, 71, 73, 90, 91, 99, 101, 102, 113, 120, 131, 146, 160, 165, 167, 200, 201, 203, 206, 207, 212, 214, 216.
      Consulte também preta; *Consulte também* rosa; *Consulte também* verde;

Índice Remissivo 253

    Consulte também substituto para; *Consulte também* vermelha
turmalinado
  verde 114, 168, 200, 204, 207, 218
Turquesa 11, 168, 201, 203, 204, 205, 208, 209, 210, 211, 214, 216, 218

U

Ulexita 11, 171
Universo, o (tarô de pedras) 4, 5, 6, 15, 16, 17, 19, 20, 21, 23, 24, 25, 26, 27, 28,
    29, 30, 31, 33, 34, 35, 36, 37, 38, 41, 42, 43, 45, 46, 47, 48, 49, 50, 53, 54,
    55, 57, 58, 59, 60, 61, 62, 63, 64, 65, 66, 67, 68, 69, 70, 72, 74, 75, 76, 77,
    78, 79, 80, 81, 82, 83, 84, 85, 87, 88, 89, 90, 91, 92, 93, 94, 95, 96, 97, 98,
    99, 100, 101, 102, 103, 104, 105, 106, 107, 108, 109, 110, 111, 112, 113,
    114, 115, 116, 117, 118, 120, 121, 122, 123, 124, 125, 126, 127, 128, 129,
    130, 131, 132, 133, 134, 135, 136, 137, 138, 139, 140, 141, 142, 143, 144,
    145, 146, 147, 148, 149, 150, 151, 152, 153, 154, 155, 156, 157, 158, 159,
    160, 161, 162, 163, 164, 165, 166, 167, 168, 169, 170, 171, 173, 174, 175,
    176, 177, 178, 179, 180, 181, 182, 183, 184, 185, 186, 187, 188, 189, 190,
    191, 192, 193, 194, 195, 196, 197, 199, 200, 202, 205, 207, 217, 220, 221,
    222, 223, 224, 225, 229, 230, 231, 232, 233, 234, 235, 236
Urano 31, 92, 204

V

Vanadinita 11, 171
verde
  vermelho 20, 25, 35, 36, 39, 67, 104, 106, 107, 116, 128, 148, 149, 158, 185,
    186, 200, 203, 206, 215, 216
Verde
  jaspe
    pedras
      quartzo 67, 113, 128, 129, 215. *Consulte também* substituto para; *Consulte*
      também zircônia
Vermelho
  ágata
  jaspe
    substituto para 7, 34, 67. *Consulte também* zircônia
ver Visões 27, 30, 48, 64, 65, 152, 192
Viagem 13, 215
Vidência 8, 63, 138
Virgem, pedras para 20, 24, 45, 57, 62, 66, 79, 112, 114, 191, 217
Visão, fortalecer 30, 34, 35, 36, 43, 79, 80, 94, 95, 97, 99, 100, 117, 120, 128,
    131, 140, 160, 167, 186, 187, 192, 202
Vishnu 117
Visualização, em magia 20, 26, 27, 33, 43, 45, 55, 57, 58, 60, 63, 77, 81, 88, 91,

94, 95, 98, 99, 105, 106, 109, 112, 115, 116, 117, 118, 119, 120, 122, 124, 128, 130, 135, 148, 149, 150, 151, 154, 155, 158, 159, 160, 161, 166, 167, 169, 171, 174, 176, 178, 179, 181, 182, 187, 189, 190, 191, 197, 224

W

Wicca 69, 79, 93, 103, 110, 113, 121, 122, 145, 146, 181, 184, 192, 196, 221, 222, 224

X

Xamanismo, e cristais 121, 229
Xamã, o (tarô de pedras) 4, 5, 6, 15, 16, 17, 19, 20, 21, 23, 24, 25, 26, 27, 28, 29, 30, 31, 33, 34, 35, 36, 37, 38, 41, 42, 43, 45, 46, 47, 48, 49, 50, 53, 54, 55, 57, 58, 59, 60, 61, 62, 63, 64, 65, 66, 67, 68, 69, 70, 72, 74, 75, 76, 77, 78, 79, 80, 81, 82, 83, 84, 85, 87, 88, 89, 90, 91, 92, 93, 94, 95, 96, 97, 98, 99, 100, 101, 102, 103, 104, 105, 106, 107, 108, 109, 110, 111, 112, 113, 114, 115, 116, 117, 118, 120, 121, 122, 123, 124, 125, 126, 127, 128, 129, 130, 131, 132, 133, 134, 135, 136, 137, 138, 139, 140, 141, 142, 143, 144, 145, 146, 147, 148, 149, 150, 151, 152, 153, 154, 155, 156, 157, 158, 159, 160, 161, 162, 163, 164, 165, 166, 167, 168, 169, 170, 171, 173, 174, 175, 176, 177, 178, 179, 180, 181, 182, 183, 184, 185, 186, 187, 188, 189, 190, 191, 192, 193, 194, 195, 196, 197, 199, 200, 202, 205, 207, 217, 220, 221, 222, 223, 224, 225, 229, 230, 231, 232, 233, 234, 235, 236

Z

Za-tu-mush-gir 164
Zaztun 109
Zircônia
  amarela
    laranja
      marrom 11, 170, 200, 202, 206, 207, 208, 209, 210, 211, 212, 213, 214, 215, 216. *Consulte também* transparente; *Consulte também* verde; *Consulte também* vermelha

MADRAS® Editora — CADASTRO/MALA DIRETA

Envie este cadastro preenchido e passará a receber informações dos nossos lançamentos, nas áreas que determinar.

Nome _____

RG _____ CPF _____

Endereço Residencial _____

Bairro _____ Cidade _____ Estado _____

CEP _____ Fone _____

E-mail _____

Sexo ❏ Fem. ❏ Masc.   Nascimento _____

Profissão _____ Escolaridade (Nível/Curso) _____

Você compra livros:

❏ livrarias   ❏ feiras   ❏ telefone   ❏ Sedex livro (reembolso postal mais rápido)

❏ outros: _____

Quais os tipos de literatura que você lê:

❏ Jurídicos   ❏ Pedagogia   ❏ Business   ❏ Romances/espíritas
❏ Esoterismo ❏ Psicologia ❏ Saúde   ❏ Espíritas/doutrinas
❏ Bruxaria   ❏ Autoajuda   ❏ Maçonaria ❏ Outros:

Qual a sua opinião a respeito desta obra? _____
_____

Indique amigos que gostariam de receber MALA DIRETA:

Nome _____

Endereço Residencial _____

Bairro _____ Cidade _____ CEP _____

Nome do livro adquirido: ***Enciclopédia Cunningham de Magia...***

Para receber catálogos, lista de preços e outras informações, escreva para:

MADRAS EDITORA LTDA.
Rua Paulo Gonçalves, 88 – Santana – 02403-020 – São Paulo/SP
Caixa Postal 12183 – CEP 02013-970 – SP
Tel.: (11) 2281-5555 – Fax.:(11) 2959-3090
www.madras.com.br

MADRAS Editora

Para mais informações sobre a Madras Editora,
sua história no mercado editorial
e seu catálogo de títulos publicados:

Entre e cadastre-se no site:

www.madras.com.br

Para mensagens, parcerias, sugestões e dúvidas, mande-nos um e-mail:

marketing@madras.com.br

SAIBA MAIS

Saiba mais sobre nossos lançamentos,
autores e eventos seguindo-nos no facebook e twitter:

@madrased

/madraseditora